冥暗の辻

無茶の勘兵衛日月録4

浅黄斑

時代小説

二見時代小説文庫

冥暗の辻——無茶の勘兵衛日月録4

目次

越前松平家関連図（延宝２年：1674．8時点）

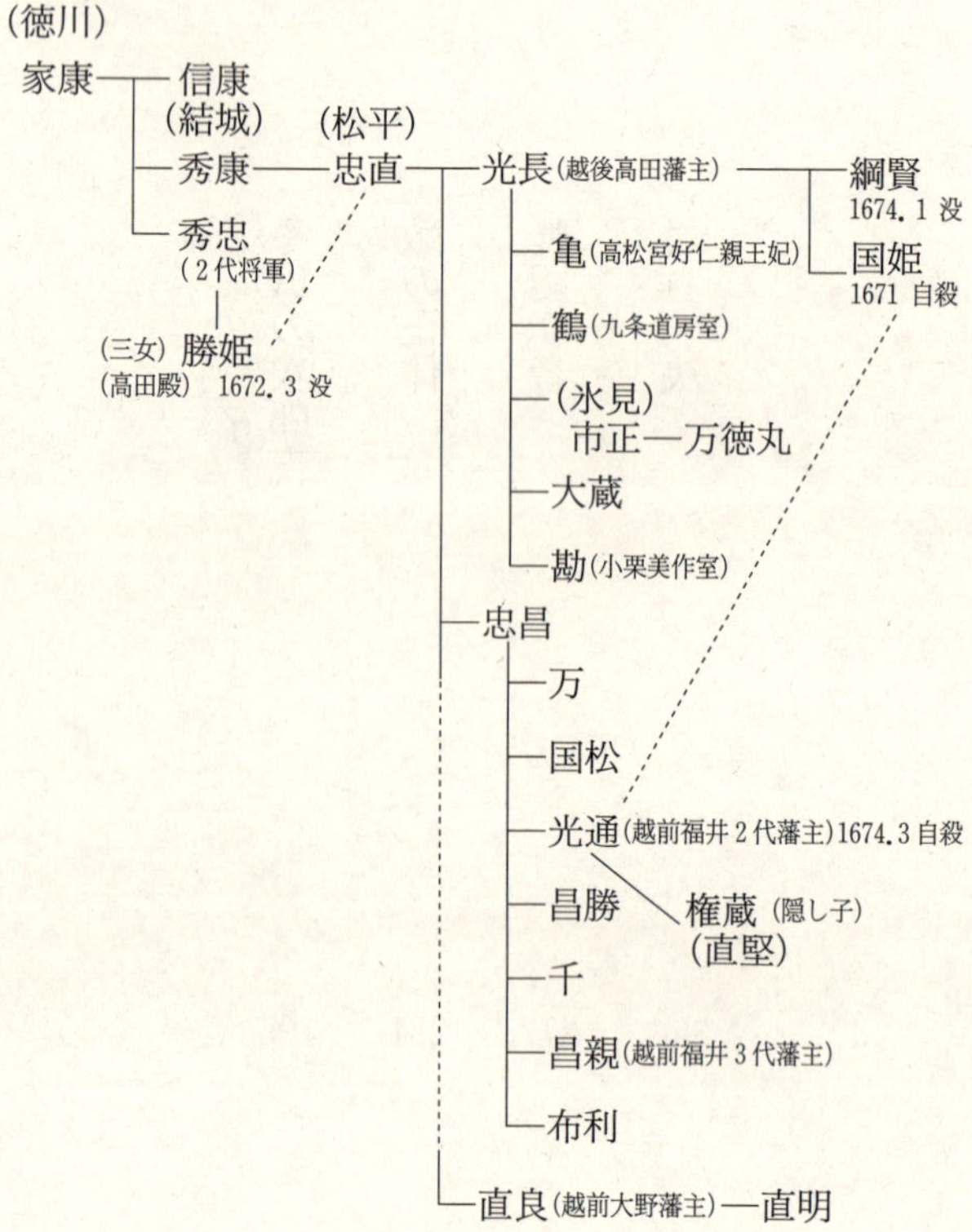

草市の夕

1

料理屋［和田平《わだへい》］の離れは、小ぶりな方形屋根の建物で、およそ十畳ほどの広さがある。

その日、夕刻になって落合勘兵衛《おちあいかんべえ》は身支度を調えたあと、そろりと離れの戸を開けた。

反《そ》り橋を模した小橋を渡っていくと母屋だが、その木戸は閉まっていた。

それだけを確かめ元どおりに戸を閉じたのち、床の間の練り絹をはぐった。

浅葱《あさぎ》色の練り絹に覆われていたのは三方《さんぽう》で、上には勘兵衛の大小が載せられていた。

刀架の代用だ。

それを下げ緒とともに左手でつかみとり、代わりに尺書《せきしょ》をしのばせた。上から、ふんわり練り絹を元のように重ねた。

半紙には――。

世話に相成った。ひとまず帰宅する。許せ。

闊達な文字であった。

昨日のこと、

――そろそろ、町宿に戻ろうと思う。

言った勘兵衛に女将《おかみ》の小夜《さよ》は、

――まあ、まだ無理でございますよ。十分に傷が塞《ふさ》がってはおりません。そう、あと五日ばかりは辛抱なさいませ。

と、ひとときの押し問答があって、

――だめ、だめ。ほら、おとなしゅう横にならはって、しっかり養生をしはらんと……。

勘兵衛の両肩を柔らかく押して、褥《しとね》に横たわらせようとした。

小夜の言う傷とは、日傭座《ひようざ》支配、安井長兵衛《やすいちょうべえ》の用心棒である嵯峨野典膳《さがのてんぜん》から受けた刀傷のことだ。

襲ってきた典膳を斃《たお》しはしたが、勘兵衛のほうも出血がひどく、猿屋町の町宿までは保《も》ちそうにない、と、この［和田平］に助けを求めたのだった。

――いや、もう大丈夫だから。

寝せつけようとする手をはずそうとした手が、意に反して高嶋縮《ちぢみ》の下にひそむ、ふっくら膨らんだ小夜の胸に沈んだ。

（あ……）

脂粉の匂いまでが、甘く鼻孔をくすぐってくる。

思わず勘兵衛は、陶然とした気分に襲われた。

小夜とは、つい、先夜に男と女の仲になったばかりだ。

献身的な小夜の介護を受けるうち、そういうことになってしまった。

勘兵衛が初めて体験する女体である。十九歳の勘兵衛は、頭の芯を貫いていく快感を知った。

自分の意志とは裏腹に、勃然と湧き起こる情炎が、勘兵衛の手を導いていく。

――ま!

乳房に伸びた手が、さらに腰に伸びて引き寄せてくるのに、小夜は小さく声をあげた。

二人の濃密な時間が、過ぎていく――。

(ふむ……)

庭へ続く縁側へ出ようとして、勘兵衛は部屋の中央の褥をみつめた。

傷に負担にならぬよう気遣いながら、それでも最後には乱れたきのうの小夜の肢体を思いだして、勘兵衛は頬が熱くなった。

(もう、八夜になる……)

透けるように白く、なめらかで柔らかい小夜の肌ざわりが、勘兵衛の全身に染みついているようだった。

それを振り捨てるように、勘兵衛は敷かれたままの夜具から視線をはずした。

庭に通じる障子をそろそろと開く。

庭は、茜に染まっていた。

ふと空から烏《からす》の声が落ちてきて、見上げると朱色にたなびく鱗雲を横切り、鳥影が黒ぐろと西へ向かって遠ざかっていった。

（烏も、家に帰るか……）

暮れなずむ夕空を見上げ、つぶやきを胸に落とした。

縁側の下に置かれた庭下駄を懐に入れ、裸足で石灯籠のところまで行く。

小さな庭には那智黒石を敷いたところもあるので、音を立てぬための用心である。

その奥の、竹のはらみ垣に隠し戸があって、そこから路地に出られることは、以前に小夜から教えられていた。

もっとも、そのときは、このような使い方をしようなどとは、夢にも思っていなかったものだが……。

路地に出て、隠し戸を元に戻してから、下駄を履いた。猫道めいた路地の片方は、大門通りに通じている。

通りに出たのち、大小を腰に落とした。

とたん、引きつるような痛みが脇腹を走る。

やはり小夜の言うように、外を歩くには無理があるのかもしれない。

だが、これ以上［和田平］で安逸をむさぼっているわけにはいかないのだ。

勘兵衛が〈御耳役《おみみやく》〉という、まるで聞き慣れぬ御役をいただいてから、それほど時日はたっていない。

しかも藩の密事に関わって、まるで裸足で刃の上でも歩くような極秘の使命を果たしているさなかのことであった。

典膳との死闘のあと、「和田平」にたどり着いた勘兵衛は、意識を失う前に若党の新高八次郎《にいたかはちじろう》への伝言を頼んでいる。

〈急用ができて、二、三日旅に出る〉

というものだ。

そのときの勘兵衛の気持ちとしては、単に――。

（よけいな心配をかけては、ならぬ……）

といった程度のものであったのだが……。

思えば、二、三日で快癒するくらいの傷、と見くびっていたのかもしれない。

だが、実際には傷は、勘兵衛が思っていた以上に深かった、ということだ。

そこで八次郎に、

〈もうしばらく戻れぬ〉

と、あと追いの使いを出しておいた。

しかし理由も教えず、居所さえ知らせていないから、

（それは、もう気を揉んでおろう……）

と思うのだ。

そればかりではない。

おそらくその間には勘兵衛の上役で、越前大野藩《えちぜんおおの》江戸留守居役の、松田与左衛門《まつだよざえもん》からも、何度か呼び出しがかかっているはずであった。

（もう、これ以上は無理だ）

そこで昨日、猿屋町の町宿へ戻ろうと決意した勘兵衛だが、小夜から止められたあげくに、敢《あ》えなく色欲に溺れてしまった。

（これは、いかぬ……）

まるで逃げ出すように［和田平］から忍び出たには、そのような事情があったのだ。

2

傷を庇《かば》い、ゆっくりと歩むうちに勘兵衛は不思議なことに気づいた。

そろそろ沿道の商店も店じまいのころなのに、なにやら露店を張り出させて品物を並べはじめている。それも、一軒や二軒ではない。

見るともなく、商品を眺めやると、苧殻《おがら》や菰《こも》や、菰作りの牛や馬だったり、そうかと思えば赤茄子《なす》や白茄子、青栗などを並べているところもあり、鶏頭や蓮の花を売っているところもある。

(そうか、明日は精霊《しょうりょう》迎えか)

盆提灯や灯籠を並べた店先を通って、ようやく納得がいった。

きょうは七月十二日、明日から盆に入るのである。

故郷の越前大野では、こういった品じなは十三日の早朝から売られる。

だが江戸では、前夜に飾り物を売る市が立って、それを〈草市〉と呼んでいるのだが、江戸に出てきて一年とたたない勘兵衛は、そのことを知らなかった。

西空を赤あかと染め上げていた陽も、ようやく落ちて、空は群青から濃紺へ、さらに黒ぐろとした帳《とばり》に閉ざされていく。

灯りを持たぬ勘兵衛だったが、満月に近い月が耿耿《こうこう》と道を照らし、行く先ざきに立つ草市の灯りが、歩行を助けた。

そして、どうにか猿屋町の町宿にたどり着いた。

「あっ、だ、旦那さま」

すると八次郎は素っ頓狂な声をあげるし、飯炊きの長助《ちょうすけ》までが台所から飛び出してきた。

「うむ、ただいま戻った」

何食わぬ顔で言う勘兵衛に、

「ただいまでは、ございません。いったい、どこをどう、ほっつきまわっておられたのですか」

八次郎は、涙さえ浮かべて抗議する。

「いや、すまぬ、すまぬ。ちょっと野暮用があってな。使いは出しておいただろう」

「あれが、使いなものですか。旦那さまが、どこにいるかも教えず、言うことだけ言って、さっさと帰ってしまいます。これではまるで、行く方知れずではございませんか」

「ま、そう尖《とが》るな。それより、松田さまより、なにか連絡はなかったか」

「そう、それでございます」

八次郎は勢い込んで、両三度ばかり使いがあったと告げて、

「もう、どうなることかと思いました」

よほど心細かったようだ。

「それは悪いことをしたな。では、さっそくで悪いが、これから松田さまに、わたし

が戻ったことと、明日にも参上をしたいがご都合はいかがか、と尋ねてきてもらおうか」

「わかりました。しかし……」

八次郎は目を光らせて、

「御衣服が変わりましたようで。たしか、［千束屋《ちづか》］に出かけた折は、白山紬《はくさんつむぎ》に袴をお召しでしたが……」

（めざといやつじゃ）

勘兵衛は苦笑しながら答えた。

「旅先で汚したのだ。そんなことより、早く行かぬか」

まだなにか言いたげな八次郎だったが、

「では、とにかく行ってまいります」

と腰を上げた。

ふとした縁で知り合った老剣客の百笑火風斎《どうめきかふうさい》が危篤との報《しら》せで、［千束屋］に駆けつけたときは、たしかに八次郎の言う服装であった。

結局その日のうちに火風斎はみまかり、そのまま通夜の席を過ごしたのちの帰途を、嵯峨野典膳に襲われたのである。

その決闘で、釘にかけて引っ張っても破れぬほどの強さから、〈釘抜き紬〉とも呼ばれるさしもの白山紬も、馬庭念流の遣《つか》い手である典膳の剣に裂かれ、袴もまた血で汚れた。

それらの衣類はおそらく、小夜の手で洗われ繕《つくろ》われているのであろうが、急いで仕立てられた衣服が、この小千谷縮《おぢやちぢみ》の単衣《ひとえ》であった。

表面に独特の皺《しぼ》が風雅な味わいを持つ生地を甕覗《かめのぞ》き（淡い水色）くらいに染め付けた単衣は、いかにも涼しげで、それを着流しに庭下駄で勘兵衛は戻ってきたのである。

八次郎が怪しむのも、無理からぬことではあった。

一刻ほどのち、愛宕《あたご》下の大野藩江戸屋敷に使いに出していた八次郎が戻ってきた。

「松田さまには、明朝、五ツ半（午前九時）ごろまでに来られたし、とのことでございました」

「わかった。で、松田さまのご機嫌はいかがであったな」

「いいえ、直接にお会いしたわけではございません、父に……、いや、松田さまの御用人を通じてのお返事でございます」

「そうか」

八次郎は、松田の用人、新高陣八《じんぱち》の次男であった。長男の八郎太《はちろうた》のほうは、松田の若党を務めている。

「いやご苦労だったな。もう、やすんでいいぞ」

勘兵衛は言ったが、八次郎は、ぺたりと座り込んだままで、

「ところで、なにがございましたか」

勘兵衛に尋ねてくる。

「なんのことだ」

「お隠しになりますな。旦那さまのお行方を、もしや知ってはおらぬかと［千束屋］を訪ねましたところ、政次郎《まさじろう》どのがおっしゃるには、火風斎どのの通夜があった夜、小伝馬町の土手下に浪人の死体が転がっていたそうで。どうやらそれが、嵯峨野典膳であったらしいと……」

「ふうん。そんなことがあったのか」

勘兵衛はとぼけたが、内心、さすがに［千束屋］政次郎の情報はたしかだと、改めて感心していた。

政次郎は葭町《よしちょう》の割元《わりもと》（口入れ屋）で、商売に絡んで日傭座支配と敵対し、用心棒の嵯峨野から命を狙われていたのである。

「あ、すると、嵯峨野のことはご存じなかったのですか」

八次郎は、あてがはずれたような顔になった。

「知るはずもなかろう。子細は言えぬが、使いにも出したとおり、私は旅に出ていたのだからな」

秘密主義、というわけではないが、嵯峨野との斬り合いについては、誰にも漏らすつもりはなかった。

不思議な縁が絡んだ末に、恨みを買ってしまったらしい嵯峨野との闘いは、いわば私闘とも呼ぶべきものであった。

それに、これが初めて、ということではなかったが、自分の身を守るためとはいえ、ひと一人の命を奪ったことに、勘兵衛は小さな畏《おそ》れすら覚えている。

（誰にも話すまい……）

［和田平］からの帰途、勘兵衛は、そう決心をしたのである。

（嵯峨野典膳のことも、負った傷のことも……）

そして小夜とのことも、

（とても話せぬ……）

ことなのであった。

3

明日は精霊迎え、という同じ日、越前大野の城下町は、降りそそぐ月光の下で閻魔《えんま》蟋蟀《こおろぎ》の走りが、コロコロリーと集《すだ》いていた。

ふと、虫の声がぴたりと熄《や》んだ。

一番町のほうから、ひたひたと跫音《あしおと》が近寄ってくる。

清水町の角に、灯りが現われた。

提灯を手に、やや速足に歩く人影は羽織袴姿の武士であった。供はいない。

やがて、武士は一軒の屋敷前で足を止め、木戸門をくぐったのち提灯の火を吹き消した。

一瞬、光に炙《あぶ》られた顔は壮年でありながら、なかなか端整な顔だちであった。若いころは、さぞ美丈夫であっただろう。

訪《おとな》いの声に式台に顔を出したのは、落合梨紗《りさ》——勘兵衛の母である。

「まあ、これは伊波《いなみ》さま……」

よほど意外な客でもあったか、梨紗は大きく目を見開いた。

「こんなに遅く、それも突然に押しかけて申し訳もござらぬ。孫兵衛《まごべえ》どのは、ご在宅か」

「はい、おりますとも。まずはどうぞ、お上がり下さいませ」

伊波を客間に案内した梨紗は居間に戻り、

「あなた。伊波さまがお見えでございますよ」

「なに、伊波だけではわからんではないか。倅のほうか、親父どののほうか」

「はい、御当主さまのほうですよ」

「なに、御奏者の伊波仙右衛門《せんえもん》どのがか……」

「はい」

いそいそと茶の用意に台所へ向かう梨紗は、背で孫兵衛に返事を返した。

「さてはて、御奏者さまがこの隠居に、どのような用があるというのだ」

首をひねりながら独りごち、衣服の乱れを直す落合孫兵衛である。

まだ四十五歳の若さだが、孫兵衛はゆえあって二年前に隠居している。家督を譲った勘兵衛は、そのときまだ十七で、今は江戸にいた。

次男の藤次郎《とうじろう》も今年、大和郡山藩に任官を果たして家を出て、夫婦二人きりの穏やかな日日が続いている。

そんな孫兵衛のところになぜ？　といぶかるのも無理はない。御奏者は、家老、組頭、用人に続く藩の要《かなめ》の重職であった。

「これは伊波さま」

箱形煙草盆だけを提げて、客間に移る。煙草好きの孫兵衛は、火入れに火を絶やしたことはない。

「いや、突然にすまぬな」

「なに、これといってやることもなし、無聊《ぶりょう》を託《かこ》つ身なれば、いつにても大歓迎でござる。いかがかな。一献、傾けましょうか」

伊波が酒好きなことを知っているので、孫兵衛は誘ってみた。

「それはありがたい、と言いたいところだが、今宵は遠慮しておこう」

「さようですか。では、お話をお聞きしましょうかな」

どうやら、大事な話らしいと感じた。

「さよう。どこから話せばいいか……」

とっかかりを探るように、仙右衛門は腰から煙草入れを抜いた。

「どうぞ」

煙草盆を押し出す。

「あ、すまぬな」

　鉈豆《なたまめ》型のずんぐりした銀煙管《ぎんぎせる》で仙右衛門が一服点《つ》ける間、孫兵衛も煙草盆の煙管掛けから愛用の六角如信《じょしん》煙管をはずし、火皿《ひざら》に刻みを詰めながら待った。

「ところで、ご子息から便りはござるか」

　形よい唇から、細く長い紫煙を吐き出したあと、仙右衛門が聞いてきた。

「次男のほうからは、先日便りがござった。今は、大和郡山にいる由《よし》でござる」

「さようか。勘兵衛どのも息災であろうの」

「さて……」

　孫兵衛は苦笑したあと、自分の煙管にも火を入れて、

「元気であろうと思うが、このところ一向に便りをよこさんでな。妻が嘆いてござる」

「ふむ、そうか。なに、無茶勘のことだ。元気に走りまわっておろうて」

「元気すぎるのも、考えものでしてな。いつも冷や冷やさせられます」

「ふむ……」

　一服を終えて、灰吹きに煙草の灰を落としたきり、仙右衛門は黙った。

（はて……）

三度、烟《けむり》を吸い込んだが、変わらず仙右衛門は無言のままだ。

孫兵衛も、煙管の雁首を叩いて火を落としながら――。

さては……と、気づいた。

伊波の三男に利三《としぞう》というのがいる。勘兵衛より二歳年上だが、二人は幼いころから
の親友同士で、今は若殿の小姓組頭として在府中であった。

つまりは、同じ江戸の勘兵衛から、利三のことでなにか知らせてはこなかったか、
と仙右衛門は尋ねにきた……のではなかろうか。

「江戸の利三どのからは、いかがでござるか」

そこで逆に尋ねてみた。

「ふむ、そのことじゃ」

ようやく、とっかかりをつかんだように伊波が話しはじめた。

「実は、十日ばかり前に便りがあってな」

「なにか、気がかりなことでも書かれておりましたか」

「思い過ごしかもしれぬが、あやつ……、あるいは若殿の御不興を買ったのかもしれ
ぬ」

「なんですと」

「いや、はっきりそう書かれているわけではない。ただ、まわりが蘭丸《らんまる》ばかりで困る、と愚痴が書かれておった」

「ははあ、蘭丸ばかりですか……」

孫兵衛は思わず苦笑した。

蘭丸とは、森《もり》蘭丸のことであろう。いわずとしれた織田信長の寵臣だ。

すなわち伊波利三は、周囲が若殿へのへつらい者ばかりだと嘆いているのである。

「そして続けて、こちらに戻されることになるかもしれぬ、と書いてあってな」

「なるほど、それは……」

「恥ずかしい話ではあるが、父親としては気になってな。それで、あるいは勘兵衛どのが、なにか言ってきてはおらぬか、と思うたのじゃが」

「それは気がかりなことでござるな。いや先ほども申したとおり、勘兵衛からは、もう三月ばかりも便りがござらぬ。よろしければ、拙者からそれとなく問い合わせてみてもよろしゅうござるが……」

「いや、ありがたいが、そこまでしてもらうこともなかろう」

だが、伊波仙右衛門の面貌には憂いの影が刷《は》かれていた。

若殿というのは松平直明《まつだいらなおあきら》といって、藩主の直良《なおよし》が五十三歳のときに生まれた。

話に出ている伊波利三は、十二歳のときから直明の児小姓となって九年がたち、若殿付き小姓組頭になっている。

その利三が越前大野に戻される、ということは、御役御免ということなのか……。

同じ、子を持つ親として、孫兵衛は仙右衛門の心の裡《うち》を忖度《そんたく》した。

「いや、お暇を出されることが、どうのこうのというのではない。むしろ、母も、あれの姉も、そのことを望んでおるのだ。ただ……、どうか無事に戻ってきてほしい、と願っておる」

「おう」

思わず孫兵衛は相槌を打った。

仙右衛門の憂慮に、心当たりがあったからだ。

江戸にある若殿、直明の悪い噂は、この越前大野にも流れてくる。女を漁る。気に入らぬことがあると、すぐに家来を手討ちにする。そんな、さまざまな噂だ。

利三の姉は滝《たき》といって、大目付を務める塩川益右衛門《しおかわますえもん》の総領のところに嫁いでいる。

過日のこと、孫兵衛が塩川家を所用で訪ねた折に、その塩川滝が――。

――孫兵衛さまに、ひとつお願いがございます。

その願いというのが、利三のことであった。

——これは、七之丞《しちのじょう》にも頼んでおりますが、正義感の強い利三のことですから、なにかあれば、若殿さまを、お諫《いさ》めしようとするでしょう。でも、それがわたくしには心配でございます。目をつぶるところは目をつぶって、どうか火中の栗を拾うようなことはしないでほしいと、ついでの折にでも、勘兵衛さまから利三に忠告するように申し伝えてはいただけませぬか。

塩川七之丞は江戸に留学中の義弟であると同時に、やはり勘兵衛の親友で、二歳年上の利三と三人、子供のころからの遊び仲間であった。

——お手討ちにでも遭えば、元も子もございませんから。

最後につけ加えたひと言が、すべてを物語っている。

だが、その願いを孫兵衛は叶えるつもりはなかった。

目をつぶるところはつぶって、と滝は言ったが、それを勘兵衛が素直に利三に伝えるとはとても思えない。

我が子の性格は、父親の孫兵衛がいちばんよく知っている。

(むしろ、自分から進んで火中の栗を拾おうとするようなやつだ)

だから、そんなことを勘兵衛には伝えられぬ、と思っている。

4

梨紗が茶を運んできたが、その場の雰囲気を感じたか、早早《そうそう》に引き上げていった。

再び仙右衛門の手が煙管に伸びる。

（まだ、話の続きがありそうじゃな……）

孫兵衛も左手親指と人差し指で国分《こくぶ》を丸め、火皿に詰めて火を点じた。

深深《しんしん》とした孟秋の夜更け、共に子を持つ父親同士、互いに紫煙をくゆらせるひととき が過ぎた。

「実はきょう、異《い》なることを聞いた」

仙右衛門が、ことばを押し出した。

「はて、なんでしょう」

「さよう、小泉 長蔵《こいずみちようぞう》がことじゃ」

「ほう」

仙右衛門から出たその名に、孫兵衛は驚きを禁じ得なかった。

その父である権大夫《ごんだゆう》は前の国家老で、藩の権力を一手に握っていた人物である。

「長蔵の妻女が、津田富信《つだとみのぶ》さまの娘御であることは知っておろうな」

「はい。それは……。え……、まさか」

「その、まさかじゃよ」

「いや、それは少しばかり早過ぎはしませぬか」

　この二人の会話を理解するには、多少の説明を要する。

　まず津田富信は、というより津田家そのものが、この大野藩では大名分として遇されている特別な存在なのである。

　その祖は織田信康《おだのぶやす》といって、尾張犬山城の城主であった。

　その子の信清《のぶきよ》は信長の妹を娶るが、信長に反旗を翻した結果、犬山城を追われ、その子の信益《のぶます》と寄方《よるべ》を頼って流転の末に、越前松平家の祖である結城秀康《ゆうきひでやす》に拾われた。

　その間、織田の姓を津田に変えている。

　祖の信康から数えて三代目、津田信益というのは苦労したせいもあってか、なかなかにしたたかな男であった。

　まず長女の奈和《なわ》を、結城秀康に妾として差しだしている。

　続いて次女の於佐井《おさい》を、東福門院（二代将軍徳川秀忠の娘で、後水尾天皇の中宮）に仕えさせたあと、これを初代の尾張藩主、徳川義直《とくがわよしなお》の妾に送り込むことに成功した。

くだくだしくなるので、大野藩に話を絞ろう。

さて長女の奈和は、父の屋敷で結城秀康の子を産んだ。それが、大野藩主である直良なのであった。

そして直良が長じて木本《きのもと》藩に封じられるとき、祖父信益の長男と三男、すなわち母方の二人の叔父を、それぞれ大名分および家老並として迎えている。

その後、直良が勝山藩、さらに現在の大野藩と転封する間も二つの津田家は、変わらず大名分、家老並の家として共に二代目に入っていた。ただし両家とも、藩政には関わらぬ、いわばお飾り的な家なのであった。

「わしもそう思うが、津田富信さまが殿に伺候して、まもなく権大夫の一周忌でござる、とおっしゃったそうでな」

「なるほど……、そういえば来月になりますか。いやはや早いものじゃ」

孫兵衛の裡《うち》に、苦苦《にがにが》しいとも、羞悪《しゅうお》ともつかぬ想いが充ち満ちてきた。

城下を騒がせた抗争があった。

事の発端は、孫兵衛が郡《こおりかた》方勘定役小頭であったころ、藩領の面谷《めんたに》銅山での不正を嗅ぎつけたことであった。

結果、当時の郡奉行から罠を仕掛けられ、家は閉門、孫兵衛は危うく切腹、というところまで追い込まれたことがある。

孫兵衛が異例の若さで隠居して、家督を長男の勘兵衛に譲ったのには、そのような経緯がある。

そして、やがて、銅山不正の真の黒幕は家老の小泉権大夫であることが明らかとなった。

結果、小泉家は三百石の減俸となり、家老職を解かれた権大夫は、まもなく病死した。

その病死も、ひそかに毒を飼われたのだ、と噂されたが、真偽は闇の中であった。

「まあ、小泉の家は、木本、勝山と続く譜代の家でござるし、後ろ盾として大名分の津田さまがついておる。いずれは小泉長蔵が、なんらかの御役につくことになろうとは予測しておったが、わしも、これほど早いとは思わなかった。殿が、国帰り中であることも呼び水になったようだ」

「この機を逃せば、二年先になりましょうからな」

城下を騒がせた銅山不正事件では、多数の死傷者が出た。それによる政権交代によって、現政権下では、まず小泉家の返り咲きはあり得なかった。

小泉家としては、閨閥を使い、藩主が国許にいるときに直訴するしか手がなかったのであろう。

「で、小泉長蔵任官のお許しは出たのでしょうか」

「ふむ。きょう聞いたばかりの噂でしかないが……」

そう言う仙右衛門の表情に、べったり屈託が張りついていた。

「まさか、長蔵が若殿のところに……というわけでは、ありますまいな」

先ほどの話の流れとつきあわせれば、そういった予測もつくが、

（それは、まずいぞ……）

と、孫兵衛も思った。

国帰り中の直良は、すでに七十一歳、この当時とすれば長命で、残り火もそれほど豊かとも思われぬ。

するとやがては直明の時代となって、その側近が権力をふるうことになりそうだ。

（そして……）

小泉の家の家格からすれば……と考えて、孫兵衛は、思わず背にぞくりとしたものを感じた。

はたして、仙右衛門から次に出たことばは、まさに孫兵衛の悪い予感が図星となった。

「いや、まだはっきりそうだとは言えぬが、きょう聞いた噂だと、殿におかれては、小泉長蔵を若殿の付家老という線で了承されたというのだが……」

「ううむ……」

孫兵衛は思わずうなった。

もし長蔵が、父の権大夫のことを根に持っているとすれば、恨みの矛先が自分に向けられることは必至であった。

あと、国家老の斉藤政利《さいとうまさとし》、大目付の塩川益右衛門などが、反小泉権大夫で動いた者たちである。

(はたして、復讐の手は伸びてくるのか……)

ちらりと、そんなことが孫兵衛の脳裏をよぎったが、

(えい。馬鹿くさい)

不正を犯したのは小泉権大夫ではないか。正義は我にあり、だと、孫兵衛はかえって昂然と胸を張った。

(だが、もし、この噂が本物になって……)

小泉長蔵が、若殿付家老として参府するような事態になれば——。

(そのときには、勘兵衛にも報せねばなるまい)

そんなことを考えていた。

5

翌日、供を申し出た八次郎に、

「おまえは剣術の腕を磨け」

と言い置いて、勘兵衛は愛宕下《あたごした》の江戸藩邸に向かった。

近ごろ周囲が剣呑《けんのん》になりはじめたので、

——自分の身くらいは自分で守れるようにならんとな。

と、八次郎には［高山道場］へ剣の稽古に通うよう命じている。

もっとも、きょうの勘兵衛は、八次郎についてきてほしくない、という気持ちのほうが強い。というのも、刀傷を受けたことを悟られたくなかったからである。

まだ治りきらぬ傷を意識し、ゆっくり用心しながら歩き、ときおりは休息も入れたので、大過なく愛宕下通りに入った。

（ははあ、相変わらずおるな）

通りから薮小路へ切れ込んでいくには、桜川に架かる小橋があって、そこに網代笠《あじろがさ》の侍の姿があった。

すでに勘兵衛の面体《めんてい》を覚えたか、そそくさと薮小路のほうに姿を消していく。同じようなのが、そこいらにひそんでいるのだ。

――おそらくは、松平昌親《まさちか》の譜代の者たちではないか。

江戸留守居の松田老人は言い、そうであろうと勘兵衛も思っている。

松平昌親というのは、つい先ごろ、新たに福井藩主に就任した人物であるが、実は本来、その座についたとしても不思議はないもう一人の人物が存在した。

名を松平権蔵《ごんぞう》といって、数奇な運命と、ある事情から、ひそかに大野藩邸内に匿《かくま》われていたのである。

だが、これは秘中の秘、そのことを知っている者は家中でもわずかに数人だけで、万が一にも外に漏れれば大騒ぎになることは必定、という緊急事態なのであった。

そこで去る六月二十四日の愛宕山権現社、千日参りの混雑に紛れ、勘兵衛は松平権蔵とその一統を、ひそかに江戸屋敷から脱出させた。

その計画が成功したことは、こうしてまだ包囲網が解かれていないことで明らかであった。

（我ながら、うまく運んだな……）

その日のことを思いだし、にんまりしながら勘兵衛は、やがて藩邸に入った。

「おう、ようやくに姿を見せたか」

やや皮肉っぽい声の松田与左衛門が、次に顔を曇らせて、

「そなた、顔色がすぐれぬようじゃが、まさか病ではあるまいな」

「いえ、いたって元気でございます」

勘兵衛は胸を張った。

たしかに、病ではない。

元気というのも、嘘ではない。

だが、それは〈気持ちのうえでは……〉という条件付きのことであった。

「ふーん」

松田老人は疑わしそうな声で、ひととき勘兵衛を観察するように眺めまわしたのちに、

「で、なにがあったのじゃ」

八次郎と同じようなことを尋ねてきた。

「なにが、と申しますと……」

「これこれ、とぼけるではないぞ。両三度ばかり使いを出したが、なんでも旅に出たと言うて、留守続きであったろう。もしや、あの面皰面《にきびづら》になにかあったのではないか、と気を揉んでおったのじゃ」

面皰面とは松平権蔵のことである。

「ああ、それはご心配をおかけして、申し訳ございません。いえいえ、今のところ、そのような大事はございません」

「ふむ。では、そなた、いったい、どこへ出かけておったのだ」

都合九日ばかりも居所不明になっていたのだから、怪しまれても仕方がない。

だが勘兵衛は、

「いや、少しばかり野暮用がございまして……」

「なに、野暮用だとぉ……」

あきれ顔になった松田に、もう一度、

「はい。野暮用でございます」

繰り返した。

あくまで、なにも言わぬと決意している。

「ふうむ……」

松田は顔を両肩ごと後ろに引いて、しばらく勘兵衛を睨《ね》めまわすように見た。本来なら許されないことであろうが、酸《す》いも甘いも嚙み分けた松田のことだから、やがて――。

「まあ、よいわ。言いたくなければ仕方がない」

苦虫を嚙み潰したような顔で言った。

「申し訳ございません」

その松田に深ぶかと頭を下げ、顔を上げると尋ねた。

「ところで、あいにく留守にして果たせませんでしたが、御用向きはなにだったのでしょう。ぜひ、今からでも果たさせていただきます」

「いや、急用というものではない。ちょっと、わしの時間が空いたゆえ、また何人か、そなたに引き合わせようと思っただけじゃ」

勘兵衛が〈御耳役〉という役につき、以来、松田が自らの人脈を積極的に勘兵衛に紹介するようになったのは、間近には松平権蔵の一件が控えているからである。

そして将来的には、大野藩を守るために、幕閣に一人でも多くのお味方を作っておくためであった。

余談ながら、このころより十五年ほどのちの元禄に、幕府隠密が世の大名たちの人物評を集めた『土芥寇讎記《どかいこうしゅうき》』という記録がある。

そこに――。

直明、文武共に学ばず、剛強の勇気、甚だしく――略――人を殺す料に過《とが》ぎ、法《のり》に越えたる――略――美女あまた抱集して、淫乱に長じ、且つ舞曲を好む――後略――

と、これが次代の藩主の若いころの姿であった。

松田は元、直明の傅役《もりやく》であったから、そんな資質を誰より知っている。だからこそ、将来なにか問題を起こしたときのためにも、今から種種の工作を施しておく必要に迫られていた。

藩主の直良には、直明の前に二人の男児がいたが、いずれも夭折《ようせつ》している。素行不良だからと直明を廃嫡にもできぬのであった。

ともあれ――。

「まあ近ごろは、暑い盛りじゃ。また用があれば使いを出すほどに、しばらくは、のんびりと過ごしておれ」

勘兵衛の不調を気づいてか、松田が、そのようなことを言った。

二十六夜待ち

1

芝車町の大木戸付近で塩川七之丞と別れた伊波利三は、高輪《たかなわ》海岸べりの道を南に向けて歩いていた。

そろそろ暮れ六ツ（午後六時）に近く、白帆を浮かべた広びろとした海の色も、少しずつ輝きを落としつつあった。ずっと沖には、巨大な入道雲が立ちはだかっている。五智《ごち》の大仏前を通りかかったころ、見る見る周囲が光を失っていくのを感じた。刻《とき》の流れ、というものを意識するのは、こういうときである。

なにがなしに西空を仰ぐと、寺の塔頭《たっちゅう》のずっと高みに、ひと筋の帯のように水平にたなびく雲があって、それが茜色と呼ぶには赤黒い色に染まっていた。そのため先ほどまで白かった低い浮き雲が、今は黒灰色に変わっている。

そのさまが、なにか不気味だった。

蟬の声がした。

それも高だかと鳴くのではなく、ギ、ギ、と、まるで断末魔を思わせるような声だ。

（ばかな……）

薄ら寒いものが自分の中を通り過ぎたような気がして、利三は軽く頭を振った。

きょうの午後、塩川七之丞が下高輪村にある大野藩下屋敷を訪ねてきた。

七之丞は、この春に江戸へきて湯島の学問所・弘文院に入門している。

高輪付近に、あまりましな店はなかったが、芝車町の大木戸付近の茶屋に、うまいものを食わせるところがあった。

そこで七之丞を誘い、出かけていった。

――義姉《あね》から便りがありましてな。

七之丞が言った。

七之丞が義姉と呼ぶのは、塩川家の嫡男に嫁いできた滝のことで、滝は利三の実姉である。

――利三さんのことを、ひどく心配しているようです。なにかありましたか。

——ふん。

利三は、自嘲するように鼻を鳴らした。

七之丞は、少し鼻白んだような表情になったが、

——ところで、勘兵衛とは近ごろ会いますか。

話題を変えてきた七之丞は、勘兵衛とは同年の幼馴染みで、どちらも利三より二歳下である。

——おまえのほうは、どうなのだ。

逆に聞いてやった。

——一向に……。ま、私も輪講やら、なにやらの準備で忙しく、ついつい無沙汰をしておるのですが。

——俺も同じだ。三人とも同じ江戸に顔を揃えながら、一向に会う機会がない。ま、それはそれでいいではないか。もう餓鬼ではない。互いに違った道を歩きはじめた、ということだ。

吐き捨てるように言うと、七之丞は黙りこみ、だが、じっと利三を見つめてきた。

その目に悲しみの色を見つけて、うろたえた。

——いや、すまぬ。近ごろ、ちょっと気が立っているものでな。

——わたしは学問の道に進み、なんのお役にも立てませぬでしょうが、勘兵衛が今なにを考えているか、利三さんが、なにを悩んでおられるか、せめて、そういったことだけは知っておきたいと思います。

そのことばに利三は、小さく胸を衝かれたような気分になった。

そして——。

——おう。これは少し芥子《からし》をきかせすぎた。

心太《ところてん》を盛大に啜って言ったのは、つい目頭が熱くなったのをごまかすためだった。

——それにしても、物思わぬこころはよかったな。

続いて、そんなことを口にしたのは、近ごろ胸に溜まった屈託やら、澱《おり》やらを、愚痴にして七之丞に聞いてもらおうと思ったからに他ならない。思わぬ蹉跌《さてつ》があった。

——実は、小姓組頭の役を解かれた。

——え……！

七之丞は驚きの声をあげ、

——いつのことですか。

——ふむ。もう一ヶ月ほどになろうかな。

利三が仕える松平直明の母は諡号《しごう》を蓮台院といって、三田の大乗寺に葬られている。

二十三日が命日だから、直明は毎月二十三日には墓参りに出かけた。

その日、六月二十三日も、例月のごとく墓参りを終えての帰途のことである。

——駕籠を止めよ。

との命があって伊波が呼ばれ、直明は声をひそめた。芝伊皿子《いさらご》町のあたりである。

——今、過ぎたるところに煎餅屋があったが、そこに容子の良い町娘が入っていったのじゃ。うむ。朝顔の浴衣を着た女じゃ。

それを屋敷に連れて参れ、と言うのである。

そういったことは、これまでにもしばしばあった。

直明は駕籠の内から、いつも女を漁っている。

といって、目をつけた女がいつもなびくとはかぎらなかった。

それでも、人並みすぐれて美男の伊波に声をかけさせれば、存外にうまくいくことも多い。

もっとも甘言に釣られやってくるのは尻軽女や莫連《ばくれん》、あるいはいたずら娘たちと決まっていて、慰み者にしたあとは金で簡単に始末がつくのである。

だが、もう利三は我慢がならなかった。

——殿、いいかげんになされませ、きょうは蓮台院さまのご命日、さぞや、御母堂さまが土の下でお嘆きでございましょうぞ。
諫めたのである。
直明の顔色が変わった。
そのときである。
同じ小姓組の丹生新吾《にうしんご》が駕籠に近づいてきて、
——殿、よろしければ拙者におまかせ下され。
——そうか。頼んだぞ。
言うなり直明は、音高く駕籠の戸を閉じた。
そして、その日、帰邸後に利三は直明から、
——そのほう、本日より謹慎して参仕に及ばず。
という沙汰を受けたのであった。
さらに、小姓組頭の役を解き、新たな組頭は丹生新吾ということになったのである。
そういった経緯《いきさつ》を利三から聞いて、
——ばかな！
七之丞は吐き捨てるように言った。
——そういったことは以前にも聞きましたが、相変わらずなんですね。でも、御役

を解かれて、おまけに謹慎ですか。もう、一ヶ月にもなるのでしょう。

謹慎といえば差控《さしひかえ》処分の内でも軽い罰だが、だといって、そうそう長い期間続くものではない。

――謹慎というても、正式な沙汰ではない。若殿一人の勝手気ままで人事がおこなえるわけではないからな。

――ああ、それはそうでしょうね。

――しかし、まあ、まるで飼い殺しのようなものでな。実に、気が滅入る。

――謹慎というと、外出も禁止なんでしょう。こんなところまで出てきて大丈夫ですか。

――いや、それは大丈夫だ。若殿の前に姿さえ見せねばいいのだから、こちらも勝手気ままにな。もっとも難癖の材料にされてはかなわぬから、めったには出かけないが。

――そりゃあ、たいへんですねぇ。退屈じゃありませんか。

――なあに、好きな本を、たっぷり読んでおるさ。退屈などはせぬ。

――しかし……。

七之丞は、首をひねった。

——下屋敷のほうには、仙姫《せんひめ》さまもおられるわけでしょう。なのに、若殿がそんな好き放題をして、仙姫さまは、なにもおっしゃらないのでしょうか。

——ふむ……。

利三は苦笑した。

仙姫は直明よりひとつ下の十八歳、三年前の暮れに嫁いできた。

——まあ、こう申してもなんだが、下馬将軍の後ろ盾もあって、ひどく驕慢なところのある姫でな。おまけに書を読まれ、和歌をたしなみ、風雅を好まれて……。

直明にも常づね、もう少し教養を身につけるようにと望むのだが、直明のほうは、そういったことが大の苦手で、自分のやりたいことしかしない。

そんな直明を仙姫は嫌ってか、決して自分の閨《ねや》に入れようとしない。

直明は直明で、仙姫と一緒にいるより、取り巻きたちと好きなことをして遊んでいるのが、一等楽しいという口なのだった。

2

五智の大仏前で、暮れゆこうとする西空を眺めながら——。

（この先、我が藩はどうなっていくのだ……）

一人、暗澹とした気分に伊波利三は陥っている。

およそ一刻ほどを、あれこれ塩川七之丞と語らって、少しすっきりとした胸の内に、またもや、もやもやしたものが立ちこめてきた。

かつて利三は、七之丞に対して——。

——君君たらずとも、臣臣たらざるべからず、じゃ。

と〈古文孝経《こぶんこうきょう》〉の一節を引いて、胸を張ったことがあった。

（だが、今は……）

なにやら、すとんと憑《つ》き物が落ちたような気分なのだ。

ついに、直明に対して愛想が尽きたのであろう。もう、昔の自分ではないことに、気づかされていた。

（いっそのこと……）

はっきりと御役御免を言い渡されて、故郷に戻されるほうが、よほど楽だ、と思っている。

　そうなると三男である利三は、元の部屋住みに戻ることになって、いわゆる〈厄介〉と呼ばれる存在になる。

（たとえそうでも、今よりは、よほどましだ……）

と思いつめるほどに、利三は心に大きな傷を負わされていた。

なにより衝撃的であったのは、友の大いなる裏切りに遭ったせいかもしれない。

（いや、こちらが勝手に友と思っていただけで、あちらでは、そうは思っていなかったのかもしれぬ）

丹生新吾のことだった。

利三が十二歳で直明の児小姓に上がったとき丹生新吾は、すでにその役にあって、歳も利三よりひとつ年長であった。

風伝流の槍の名手で、正義感が強く快男児の新吾を、以来、九年間、利三は友のように、あるいは兄のようにも親しんで過ごしてきたのだった。

易きに流れ、人の道をも踏み外す直明に対し、ともに命を張ってでもお諌めすべし、と誓い合ってさえきたのである。

（それが……）

いつの間にか新吾は直明に追従《ついしょう》し、気がつけば小姓組頭の役まで奪ってしまった。

（いつから、きゃつは、変節したのだ？）

気がついたら、というしかない。

（あるいは、俺への、ねたみか……）

丹生新吾は、若殿付きの小姓としては先輩で、しかも歳上であった。

それを飛び越えて利三が組頭に昇進したのは、単に家格の違いである。奏者番、三百石の伊波家に対し、丹生の家は五十石、御納戸方の家であった。

すでに日は暮れて、空は薄墨色に染まっている。

だが海岸では、置き行燈やら吊り行燈などに次つぎと火が入り光が乱舞して、ときならぬ賑わいを見せていた。

それらは高輪海辺に三月から十月まで出現する葦簀《よしず》張りの腰掛け茶屋で、その数はおびただしい。なかには二階建ての、とても掛け茶屋とは呼べぬような大がかりな造作もある。

（ふむ……）

だが、その様子が、いつもよりは賑賑しい。

馬の背に、筵《むしろ》を山積みに運んでいる者もいれば、人足が、大きな荷を二人がかりで担いだりしていた。

ふと気づけば利三の傍らを抜け、色も鮮やかな鬼提灯《おにぢょうちん》を提げた白玉売りや、団扇《うちわ》売りが海べりへと入っていく。

（まるで、祭りの準備のような……）

そして気づいた。

（そうか、きょうは二十六夜《にじゆうろくや》待ちだったな）

このころ月見といえば三つあって、十三夜に十五夜に、二十六夜というのが代表であった。

八月十五日の十五夜は、いわずとしれた仲秋の名月で、九月十三日の十三夜は〈後《のち》の月〉とも呼ばれて、片見月《かたみつき》――すなわち片方だけを見るのは禁忌とされていた。いずれも満月である。

さて二十六夜の月は細い逆三日月であるが、満月が日暮れと同時に出てくるのに対し、こちらは月の出が非常に遅い。深更《しんこう》も過ぎ日が替わった丑《うし》の刻（午前二時）前に、やっと出てくる。

この月の出を見ると願いが叶うとか、他にもいろいろと伝承があり、人人は各地の月の名所に集まって月の出を待つ。それで、二十六夜待ち、あるいは六夜待ちと呼んで、これは全国的な風習であった。

江戸でも元は念仏など唱え、厳粛な行事であったものが、近ごろは、これを口実に大っぴらに夜遊びができ、月を待ちながら飲んだり食ったりの、納涼を兼ねた行楽のひとつになっている。

元より利三は浮かれた気分にはなれず、再び歩を進めて道を西にとった。暗闇が、急速に訪れようとしていた。

寺の築地塀《ついじべい》と築地塀に挟まれた道は、やがて鍵型に二度曲がって、急な坂道となる。

この坂道を〈桂坂〉と呼ぶのは、昔、この坂道で急死した僧が鬘《かつら》をかぶっていたからとも、付近に蔦葛《つたかずら》が繁茂していたからともいうが、左手には海上壇林《だんりん》と呼ばれる東禅寺《とうぜんじ》があり、右手には下高輪村の畑地がある。畑地の奥がおよそ八千坪の大野藩下屋敷であった。

（お……！）

畑地が尽きるあたりに下屋敷の門があるが、そこがなにやら騒がしい。

門前には家紋入りの高張り提灯がかかげられ、その下を、多数のひとが入っていく。

（なにごとだ！）

利三は目を剝いた。

華やかな衣装をまとった女たちがいる。冬でもないのに、毒毒しい模様の黒船頭巾や括袴《くくりばかま》の男もいる。

それは、近ごろ見かけなくなった旅芸人や傀儡師《くぐつし》の衣装のように思えた。

さらには白拍子《しらびょうし》や比丘尼《びくに》の姿をした女たちまでいて——。

（さては、舞女《まいまい》か……）

春をもひさぐ旅芸人であった。

おそらくは血相を変えて、利三は坂道を駆け上った。

門前に着いたとき、すでにすべては門内に消えていたが、

「きゃつらは、なにものだ。いったい、誰が呼んだ」

門番に食ってかかった利三に、

「なにをいきっておる」

冷たい声の主は、丹生新吾であった。

「おう、いったい、あれはなんだ。傀儡女《くぐつめ》たちを大名屋敷に入れて、どうする」

「傀儡女、ときたか。えらく時代遅れな言いようではないか。あれは扮装だよ」

「扮装にせよ、許されることではない」

「いいかげんに頭を冷やせ。あれは歌舞音曲《おんぎょく》で客をもてなす高砂町の踊り子ぞ。大名や旗本たちも呼ぶ女たちだ。今宵は二十六夜待ちなれば、月を待つ間の座持ちに俺が手配した」

高砂町といえば吉原旧地で、今も色っぽいところとして知られている。

そういうところに住みつく踊り子だからして、ただの踊り子ではない。容色のすぐれた娘たちは、春をひさぐことを専門としている。
川柳にも――。

　裃《かみしも》の膝に踊り子腰をかけ

なんてのがあるくらいだ。

(そんな女どもを……)

伊波の面貌に朱がさした。

「寄合茶屋や船遊山《ふねゆさん》の席ならいざ知らず、屋敷内に入れるなど言語道断ではないか」

「ほう。では、どうする。みな追い出してみるか。俺は一向にかまわんぞ」

「むう……!」

まるで煽りたてるように言う新吾に、かえって利三は冷静になった。

見れば新吾は、頬に笑みさえ浮かべている。

(挑発に乗ってはならぬ)

危うく感情の暴発を押さえつけることができたのは、きょう、七之丞から聞いた話のせいだったかもしれない。

七之丞のところに実姉の滝から便りがあって、そこには、利三が正義感を振りまわし、それで直明と衝突することを恐れる心境が、縷縷《るる》つづられていたそうだ。

さらには七之丞の両親もそのことを心配し、無事に故郷へ戻ってくることを願っているという。きょう、七之丞がわざわざ訪ねてきたのは、それを伝えるためだったのである。

(あんなバカ殿に、手討ちにされれば犬死にじゃ)

利三は、豁然《かつぜん》と視界が開けたような心地がした。そして言った。

「組頭どのに、願いの儀がござる」

「はて、なんだ」

「拙者、謹慎を仰せつかりしより、はや一ヶ月、願わくば小姓組の役をご解任いただきたく思っております」

泰然と言った。

「なに、それは本心か」

さすがに新吾は、驚いた声になった。

「このようなこと、戯れ言《ざごと》では申せませぬ。折を見て、このこと若殿に仰《おお》せられ、よろしくご配慮を賜わりますよう」

「お、おう……。あいわかった。重ねて尋ねるが、その儀、そなたの……たって、の願いということで良いのだろうな」

丹生が、そのように念を押してくるには事情がある。

これが直明の気ままから出た人事ならば、正式に通用しがたくとも、当の本人からの希望ならば、比較的、通りやすい、ということである。つまりは、今はまだ、この江戸下屋敷内だけで通用している丹生の、若殿付き小姓組頭の役が、正式なものとなる可能性があるのだった。

「もちろん、そういうことでよろしゅうござる」

「しかし……、そりゃ、いったい、どうした風の吹きまわしだ」

なにか裏があるのではないか、というふうだった。

「なに、そろそろ故郷が恋しくなっただけのことでござるよ。では、よろしくお願いいたす。ごめん」

あっさり言うと、長屋に向かう利三だった。

3

処暑を過ぎたというのに、残暑は一向におさまらない。おまけにきょうは、そよとも風が吹かなかった。

道を行く落合勘兵衛に、午後の盛りの太陽が容赦ない炎暑を送りつけてきて、額にねばったような脂汗をにじませる。

まだ十九歳という若さだから、本来なら、これくらいの暑さで参るはずがない。だが、勘兵衛は苦痛をこらえるように、歯を食いしばって歩を進めていた。

（こりゃあ、そうとうに身体がなまったぞ……）

ちらりと不安が頭をもたげてくるのに、

（なんの、これしき……）

幼いころから無茶なことばかりしでかして、故郷の越前大野では〈無茶の勘兵衛〉とか、〈無茶勘〉とか呼ばれた男である。

持ち前の利かん気を出して、かえってぐいぐいと足を速めてみたが、いかんせん、すぐに息が切れてしまった。

そんな勘兵衛に、

――そなた、やはり、どこぞ、具合でも悪いのではないか。

きょう勘兵衛が久方ぶりに藩邸に出向いたところ、松田与左衛門に、またも言われた。二度目である。

――いや、一向に……。気のせいでございましょう。

――ふむ。頑固なやつじゃの。

松田は、あきれ果てたような口調になったが、それ以上、問いただすことはしなかった。

この日、勘兵衛は朝から忙しかった。

というのも、きょう八月一日が八朔《はっさく》にあたったからだ。

勘兵衛は町宿を出ると、浅草瓦町をまわったのち江戸藩邸のある愛宕下へ向かい、さらにこれから、下谷の黒鍬町まで足を伸ばそうとしている。

嵯峨野典膳から受けた左脇腹への突き傷は、傷口が塞がったのちも、なにか棘でも残したような、歯がゆい痛みを残していた。

そのため自重して、ここのところ、長く出歩くことを避けていた。

（それで、身体がなまったのだ……）

暑さに、へばりそうになっている自分自身に、まるで言いくるめでもするように思うのは、悔しさのせいだった。

(たかが、これくらいの傷で……)

嵯峨野に襲われたことも、傷のことも、一切を松田に説明しなかったのは、それが、お役目とは関係のない、いわば私闘ともいうべき種類のものだったからだ。

(いや、そればかりでも、ないんだが……)

ふと頭によぎったことに、勘兵衛は、ぽっと頰が赤らむ想いがした。

あれから一度、勘兵衛は[和田平]に行っている。

無断で拝借してきた庭下駄を返すことと、預けっぱなしになっている衣服や草履を受け取ることが口実だった。

——まっ！

姿を現わした勘兵衛を見て、小夜は小さく睨みつけた。

まるで逃げ出しでもするように姿を消した勘兵衛だったから、それも無理はない。

——で、どうなの。もう、すっかりいいの。

続いて、小夜は心配そうな口調になった。

それから麦湯でも、と誘われて、勘兵衛は例の離れに案内された。

離れに入るなり、無言で小夜が抱きついてきた。そして肩をふるわせる。

――どうした、おい……。

だが相変わらず無言のまま、ただひしと小夜はしがみついてきた。

――悪かった。しかし、お務めのことがあって、ああする他はなかったのだ。

言って顔を上げさせると、あふれた涙が小夜の頬を伝っていた。思わず勘兵衛は小夜の口を吸った。

そして……。

若い肉体の奥底からたぎり立ってくる欲情に、勘兵衛はまたまた溺れこんでしまった。

（えい！　そういうことではない！）

頭の中で、靄《もや》のようにひろがりはじめた官能の記憶を叩き出そうと、勘兵衛は荒荒しく歩を速めた。

すべてを自分の内に秘める。勘兵衛は、そう決めていた。

（負傷を悟られてはならぬ）

かまえておくびにも出さず、涼しい顔でいよう、と気を張っていたつもりだった。

なのにきょう、再び松田から〈病ではないのか〉と指摘されたことが、どうにも情けなくてたまらぬのだ。

（未熟だ……）

思って勘兵衛は、悔しくもあり、ひとり力みかえっているのであった。

それはそれとして、きょうの八朔という日は、農村では刈り入れ前の稲穂を神前に供えて、豊作を願う儀式が広くおこなわれる日であった。

これが民間にも伝わり、勘兵衛の故郷である越前大野でも、武士も商家も稲の新穂を添えて、日ごろ世話になる家になにがしかの品を贈る習わしがある。

これは稲が〈田の実〉であるから、〈今後とも、よろしくたのみます〉ということになるのであった。

だが、ここ江戸での八朔は、さらに一段と深い意味合いがある。

というのも、この八月一日が、徳川家康が江戸に入った日にあたるからだ。

だからこの日は幕府の祝日で、諸侯、幕臣は総登城して、太刀と御馬代と称する金《きん》子《す》を将軍家に献上することになっている。これを〈八朔御祝儀〉という。

この年（延宝二年・一六七四）、大野藩主の松平直良は国帰り中であったから、江戸家老の間宮《まみや》定良《さだよし》が江戸城に代参している。

勘兵衛もまた、きょう上役の松田の許《もと》へ挨拶に出向いた。他に、相談したいこともあった。

——ほう、［高砂屋］のなんきんおこしか。

勘兵衛が挨拶とともに、新穂を添えた菓子折を差しだすと、松田は微笑んだ。

——はい。前後が逆になりましたが、藤兵衛《とうべえ》どのには、先に、ご挨拶をすませてまいりました。

［高砂屋］藤兵衛は浅草瓦町の菓子屋の主で、勘兵衛が江戸に出てきてしばらく下宿したところであった。

——よい、よい。あの男とは、長く交誼《こうぎ》を結んでおれ。仲良くしておいて、損にはならぬ男だ。

以前にも松田は、同じようなことを言った。

その下宿先を世話したのも松田だが、はたして二人に、どのような結びつきがあるのやら、勘兵衛にはいまだにわからない。

［高砂屋］が、大野藩邸に出入りの商人なら不思議はないが、どうやらそんな気配もないのである。

（ま、いずれは……）

松田がこれまであえて話そうとしないのは、なにやらわけがあるのであろう、と勘兵衛は思っている。

その［高砂屋］同様、松田が勘兵衛に仲良くしておくように、と命じた相手がもう一人いた。盆暮れや八朔の挨拶を欠かさぬように……とも、言われている。

勘兵衛の、きょうの松田への相談事とは、そのことであった。

――で、このあと、菊池兵衛《きくちひょうえ》さまのところへもご挨拶にまいろうと思いますが……。

――おう。よく覚えておったな。

言って、松田は目を細めた。

話に出た菊池兵衛は、増上寺の掃除番である。だが、それは仮の姿で、実は大目付直属の黒鍬者《くろくわもの》であるそうだ。

終日、増上寺の蓮池付近に座って、参詣者と話など交わして天下の噂を集めている、という不思議な人物であった。しかもその情報は、驚くほどに正確であるらしい。

勘兵衛を菊池兵衛に引き合わせたのち、松田が語ったところによると、菊池の家は代代がそういった役務の家で、いまは亡き兵衛の父親が増上寺で掃除番だったころに知り合った、というから、ずいぶん古いつきあいであった。

なにしろ、まだ勘兵衛が生まれる以前の話である。

しかも驚いたことに、若殿の御生母である蓮台院を斡旋したのが、菊池兵衛の父親であったらしい。

そのころ主家の越前大野藩では嫡男が死に、藩主の直良が次の男児に恵まれぬまま五十歳を超える、という事態になっていた。

このままでは藩の将来が危うい、と当時の国家老、乙部勘左衛門《おとべかんざえもん》が動いた。

そして直良の兄で松江藩主であった松平直正《なおまさ》の次男、近栄《ちかよし》を養子に迎えた。その近栄に直良の娘である国姫を娶せて、大野藩の後継者問題は、ほぼ決着がついたかに見えた。

ところが、それでよし、とせぬ一派があった。

当時の江戸家老、小泉権大夫と御側役であった松田与左衛門吉勝《よしかつ》である。

五十歳を超えたとはいえ、藩主の直良は、まだまだ壮健、健康な側室にさえ恵まれれば嫡男も夢ではない……。

江戸の二人は、そのことに奔走する。

そして夢が、夢でなくなる日がやってきた。

明暦二年（一六五六）は落合勘兵衛が、越前大野の水落町に呱呱《ここ》の声をあげた年である。

それよりわずかに早く、江戸・金六町においても、ごく一部の者にしか知られず、極秘裏に産まれた男児がいた。

男児の父は松平直良、母は熱海の大庄屋・橋本平作《はしもとへいさく》の娘で、名を布利《ふり》という。

この布利を、直良への側室として松田に世話したのが、菊池兵衛の父親だった、というわけだ。

そのような関わりから、松田は、この二十数年、盆暮れに八朔と、菊池家への付け届けを欠かしたことがないという。

そして勘兵衛にも、個人的に付け届けをするのがよい、と薦めている。

(松田さまは、どうやら、わたしを後継者として育てようとしているらしい……)

勘兵衛が〈御耳役〉という、それまでになかった役職を作って松田の直属になったことや、さらにはそれが藩の機密に関わる役目だ、と理解したころから、勘兵衛は、そんなことをぼんやりと感じはじめていた。

——で、菊池さまへのご挨拶の品ですが、やはり金子がよろしゅうございましょうな。

付け届けというからには、やはり金であろう、とは思いながら、実は勘兵衛、これまで、そういった経験が皆無であった。

品物を贈る、ということならなんでもないが、現金を包む、ということ自体に抵抗があったのだ。

父からも幼いころより、武士にとって金など卑しむべきもの……といった教育を受けてもいる。

だが、松田は、即座に答えた。

——もちろんじゃ。前にも言うたとおり、品物にするなら、内に金でも忍ばせるのじゃ。

——あ、さようでございましたな。

たしかにそのような、上手な付け届けのやり方、という講釈を聞いたことがある。

——よいか。菊池の家は十二俵一人扶持、それに、御手当金が年に三分のみ。仕事柄、役得もないから、ただそれだけの俸給が頼りの家じゃ。

——ははあ……。

(十二俵一人扶持といえば、石高にすれば十石にも満たぬ。それに、わずかに三分の手当金か……)

金に直せば、年に十両そこそこ、といった額にしかならぬ。

その薄給に驚いている勘兵衛に、松田はかぶせるように、

――そなたが個人的にする付け届けじゃから、無理をすることはない。だが、たとえ一分金が一枚、二枚であろうと、菊池の家にすれば、涙が出るほどに嬉しいにちがいあるまい。

――わかりました。

この日、勘兵衛が松田にするはずだった相談とは、もし金子なら、どれほどを包めばよかろうか、というものであったのだが、それはどうやら、勘兵衛自身が決めねばならぬことらしい。

(どうしたものか……)

江戸にきて勘兵衛は、まだ一年と経っていない。

だが、その間に――。

飯炊きの長助からは、場合によって船頭や茶屋女に祝儀をはずまねばならぬことを教えられ、松田からは、付け届けの仕方を教えられている。

(こりゃ、親父どのの教えのように……)

武辺一辺倒に凝り固まっていれば、とてもこの江戸で、世間を渡っていくことはできぬようだぞ……。

そんなことを、勘兵衛は思った。

4

和泉橋の上で、勘兵衛は足を止めた。ひとときの涼を求めたかった。

佐久間河岸に近い中州に一叢《ひとむら》の芒《すすき》があって、白い穂をつけている。そこだけは、たしかに秋だった。

しかし、うなだれるように斜めにかしいだ穂は、ゆらりとも動かない。川風すら吹いていないのである。

空には一片の雲もなく、午後に向かおうとする日輪は中天から容赦なく、じりじりと勘兵衛の髪を焼いた。

（ふう……）

小さく息をつき、再び歩きはじめた勘兵衛だが、橋を渡り終えたところで、また立ち止まった。

これから向かおうとする菊池兵衛の拝領屋敷は、黒鍬町にある。

名のとおり、黒鍬者たちが集まって住んでいるところと聞く。

上野山下から東叡山の車坂門を越え、ひとつ北の屏風坂門からほど近いところ、と教えられていたが、勘兵衛には土地勘のないところであった。

（ここをまっすぐに行ったほうが、近道ではないか）

そんなことを考えたのであったが、自信はなかった。

（団栗八《どんぐりはち》が一緒ならば……）

団栗八とは、若党の新高八次郎に、勘兵衛がひそかにつけた渾名《あだな》である。三つ年下で十六歳の彼は、なにかというと、団栗のようなまん丸い目になるのであった。

その八次郎は江戸育ちで、地理に明るい。

八次郎ならば、

——あ、黒鍬町ならば、こちらからのほうが近道になりましょう。

そんなふうに言うはずであったが、このところ勘兵衛は、八次郎に供をさせないことにしている。怪我を悟られないためであった。

（近道とは思えるが……）

覗きこんだ通りの少し先に、広大な塀囲いが見える。

伊勢は津藩の、藤堂和泉守《とうどういずみのかみ》の上屋敷であった。

ずっと先まで武家地が続くようだ、と判断して、勘兵衛は近道をあきらめた。

（もののふの、矢橋《やばせ》の舟は早くとも、急がばまわれ瀬田の長橋、というではないか……）

勘兵衛の脳裏に浮かんだのは、『醒睡笑《せいすいしょう》』の一節だ。

京の僧侶、安楽庵策伝《あんらくあんさくでん》が集めた諸国の笑話は、少年時代の勘兵衛の数少ない楽しみのひとつであった。

（菓子折も、求めねばならぬし、な……）

うっかり楽を考えて、先ざきに菓子屋がなければ、結局は引き返す羽目にも陥るのである。

その菓子折に忍ばせるつもりの金は、ようやく二両、と決めていた。少なからず、過分にならず、と考えた結果がそれだったが、その額が妥当かどうかは自信がない。

勘兵衛はしばらく神田川沿いに歩き、筋違《すじかい》橋手前を北に折れた。

左に本多下野守《ほんだしもつけのかみ》、右に松平伊勢守《まつだいらいせのかみ》の屋敷の間に通る道は、すぐに丹生式部《にうしきぶ》の屋敷に突き当たる。それを、本多の屋敷塀に沿って左に曲がり、次を右へ曲がって入る通りは、勘兵衛にも馴染みの道であった。

下谷御成街道と呼ばれて、上野広小路へと続く道である。

（考えれば考えるほどに、不思議な縁だぞ……）

暑熱にへばりそうになる自分を忘れるために、勘兵衛は別のことを考えることにした。

おそらくは、家中《かちゅう》のほとんどが知らないであろう、菊池家と我が大野藩との繋がりのこと、である。

（なにしろ、菊池兵衛の父君と松田さまが出会わなければ、今の若殿はいらっしゃらないわけだからな……）

風が吹けば桶屋が儲かる、式の話ではないが、まさにそこに運命の不思議さ、意外さというようなものを、勘兵衛は感じていた。

片やに、大野藩を相続させるべく養子に迎えた松平近栄がいた。

そこへ片やに、藩主の実子である左門《さもん》君（松平直明）が生まれてきた。あとから、である。

まさに一触即発、藩内に剣呑な空気が立ちこめた事情に、説明はいるまい。

さらに背後には、国家老と江戸家老との主導権争いが加わっていた。

藩を二分する闘争が始まった。

この争いは、およそ十年にもわたったが、最終的には、養子の松平近栄が実家から三万石を分与されて新藩を立てることになり、幸いにして泥沼に陥ることなく終わりを迎えた。

乙部は新たに近栄の家老となって、近栄派だった士たちとともに出雲へ去っていった。

こうして権力の交代がおこなわれ、小泉権大夫は筆頭の国家老に、左門君の傅役《もりやく》であった松田は御用人、すなわち江戸留守居役という要職についた。

それからまた十数年がたち、小泉家老が藩の権力を一手に握ったころ、勘兵衛の父が関連する事件が起こり、小泉家老は失脚した。

(有為転変は、世のならいというが……)

勘兵衛の胸にいま去来するものは、自分の身のまわりに起こる、あまりに激しい動きへのとまどいであった。

それも、自藩とは関わりのない大和郡山藩の御家騒動に知らぬ間に巻き込まれ、まだそれも片づかぬというときに、今度は越前福井藩の問題まで抱え込んでしまっている。

福井藩は、勘兵衛が仕える大野藩にとっては本家にあたるところで、藩主は松平光《みつ》通《みち》といって、大野藩主には兄方の甥にあたる。

この光通には独身時代に、側女に生ませた権蔵という男児がいたが、越後高田藩主の娘を娶るにあたり、権蔵の存在はひた隠しにされ、日蔭の存在となってしまった。

さらにごたごたが続いたあと、権蔵は自分の身に危険を覚え、とうとう福井から逐電して、行方をくらませてしまう。

それまでに光通は、幕府に対し、

〈自分に隠し子などいない〉

と起請文まで出していたものだから、もう面目は丸つぶれ。とうとう――。

〈次の藩主には異母弟の昌親《まさちか》を〉

と遺言して、自殺してしまった。

これが、この三月のことである。

ところが、その権蔵が――。

なんと、大叔父にあたる松平直良を頼り、愛宕下にある大野藩江戸藩邸内にひそかに匿われていたのである。

江戸家老、間宮定良の遠戚という触れ込みで、家老役宅に隠棲している権蔵のことは、大いなる密事であった。

家中《かちゅう》の者はもちろん、国許の重役たちの一人とて、これを知らない。

知るものといえば、藩主の直良の他は、間宮と松田、それに勘兵衛の三人きりであった。

5

直良の考えでは、いずれ時期を見て、光通、権蔵父子の仲を取り持ってやろう、くらいに考えていたのだが、短慮にも光通が自殺してしまった。

しかも、その遺言は幕府に認められ、福井藩はすでに松平昌親が襲封した。

その報を、江戸の権蔵は複雑な気持ちで聞いている。

ときに権蔵は十七歳で、父からは認知もされずに、ずっと捨て置かれた存在であった。

だが、しかし――。

（我こそが、唯一無二の嫡男ではないか）

そんな想いが、胸を嚙む。

（越前福井藩、四十五万石……！）

本来なら自分こそが、その大藩の主になるはずだった。

実父から踏みつけにされ、ないがしろにされ、だからこそなお、権蔵の心の淵は深く暗い。

そんな気持ちが、権蔵に次のような行動をとらせた。

〈光通が嫡男、松平権蔵、大野藩江戸藩邸にあり〉

故郷福井の、心頼りの面面に向けて、そのような密書を送りつけたのである。

それに呼応して——。

福井を脱藩し、江戸へくる者まで現われはじめた。

このころ家の相続は、まずは正嫡、ついで庶子、という規範が厳然とあるのだから、権蔵こそが正しい相続者、と信じる者も多いのであった。

福井藩士の比企藤四郎《ひきとうしろう》もまた、そんな一人である。

それが偶然にも、脱藩して江戸の権蔵の許へ走る……という道中で、勘兵衛の弟の藤次郎と知り合った。

それで勘兵衛は、我が江戸屋敷が抱える密事を知ることになったのである。

筋違橋から、およそ十町（一〇〇〇メートル）ばかりを北上してきた道は、やがて専念寺の隅に突き当たって左右に分かれる。

左への道筋は天神筋と呼ばれ、湯島天神の裏門へと通じている。

勘兵衛が、なにかから解放されたような、胸の深くに滞おらせていたものを、ふうっと吐き出せたような心持ちにとらわれたのは、これまで歩いてきた道の右も左も、長く白い塀囲いが続く武家地ばかりであったからだ。練り塀という練り塀が、日ざしにたっぷり貯めこんだ熱を両側から放射して、道には陽炎《かげろう》が立っていた。

だが、この三叉路に出たとたん、景色は一変する。ねっとりした脂汗にあえいでいた勘兵衛は、ふと爽やかな空気を感じていた。なにやら華やいだ気分にさえなる。

人通りもあった。専念寺の右手には商家が並び、最初の角を曲がれば上野広小路、ざわざわとした盛り場の雰囲気が、早くも漂ってくる。

専念寺の奥では、神田薬師の鎮守の杜《もり》が、青い空を射抜くように深い緑の樹木を茂らせているし、その先に、たっぷりと水を湛《たた》えているであろう不忍池の匂いすら感じられた。

知らず、足も軽げに右へ曲がった勘兵衛だったが、

（ふむ……）

上野広小路へと向かおうとするその足が、またも重くなった。

左に曲がれば上野広小路だが、道なりに進んで入る両側町は肴棚《さかなたな》とも、さかな屋丁とも呼ばれるあたりで、そこに［日高屋］という筆墨問屋がある。

この二月、遊学のため江戸にきた、親友の塩川七之丞の下宿先だった。

本来なら、

(元気でやっておろうな)

と、懐かしく友の顔を思い浮かべるはずであったのを――。

(むう……)

勘兵衛は、もう一度、途方に暮れたような気分を胸に落としている。

塩川七之丞には、妹がいる。

園枝《そのえ》といって、勘兵衛より三つ歳下の十六歳だった。

その園枝が、いつのころからか勘兵衛の中に棲みついていた。

初恋の、今もひそかに胸を焦がしている女なのである。

ところが――。

その園枝の夢を見ながら、夢うつつの内に勘兵衛は、小夜と深間に入ってしまったのであった。

(こりゃ、困った……)

どうしたものか、と悩んでみても、そうなってしまったものは元に戻らぬ。

なのに、やはり、

(いや、困った……)

勘兵衛は真剣に悩んでいる。

(園枝どのに、申し訳が立たぬ)

その園枝には恋心を告げたこともなく、将来を約したわけでもないのに、そんなことを悩む。

そのくせ、小夜という、十歳上《とうとしうえ》の熟れた女体の虜《とりこ》にもなっているのだ。

まさに——。

〈実《まこと》は同じ男女の情、色《いろ》は思案の外《ほか》〉

という状況に陥っているのであった。

今、園枝を心にのぼらせながら、その一方で小夜と共有した濃《こま》やかな時間を反芻し、

(ううむ……)

二律背反した心に、勘兵衛はうめく。

女体を知った。

そのことが後ろめたくありながら、ついつい誘惑に負けて自分を抑えきれぬ。

女犯《にょぼん》を禁じられた坊主ではないし、相手の小夜は人妻でもなく、ましてや不義でもない。

ならば男として恥じることもなければ、罪悪感を覚える必要もない。

そう思おうとしながら、つい引け目に感じ、誰にも知られてはならぬ、と肩肘を張ってしまうのは、どういうことなのか。

理由は、わかっている。

これが女郎屋とか悪所に遊んで童貞を捨てたのならば、おそらく勘兵衛は悩みはしなかったであろう。

相手が小夜、というのが問題なのだ。

大和郡山藩では御家騒動が長引き、つい先年、幕府の裁定で郡山藩十五万石は、嫡流の本多政長《まさなが》が九万石、庶流の政利《まさとし》が六万石と分割された。よって、これを〈九六騒動〉と呼んでいる。

さて、その政長には都筑惣左衛門《つづきそうざえもん》という家老がいて、その家老の側用人に日高信義《ひだかのぶよし》という人物がいた。

小夜は、この日高の娘であった。

なんでも大坂時代に、妾に産ませた子であるという。

つい最近、勘兵衛の弟である藤次郎は、その大和郡山本藩への仕官が決まり、ある使命を帯びて日高とともに大和へ旅立った。

そして二人を品川まで見送った際に、

——小夜のことを、よろしく頼むぞ。

日高老人から、そう頼まれている。

それを、あろうことか手をつけてしまった。

事情はどうあれ、そういうかたちであることに、まちがいはない。

そのことが、勘兵衛の重石《おもし》になっていた。

勘兵衛、十九歳。まだまだ純情である。と同時に多感な年ごろだ。

このころ、広小路とは名ばかりで、上野広小路は、のちのちのように広大な道幅ではない。

左に不忍池の眺望が豁然と開け、池より落ちる小川を小橋で渡る右側には、上野の鎮守といわれる牛天神の宮が、勘兵衛を見下ろしていた。

正面には東叡山の総門である黒門が、南に向けて扉を開いている。

黒門の先には桜並木が続き、さらに先の二王門をくぐれば松林が続く。

余談ながら、その後の火災や整備によって、この付近は大きく様変わりをする。

牛天神は五条天神と名を変えて縮小され、黒門はもっと北に移され、広小路の道幅は何倍にも広がる。

たとえば今、勘兵衛が渡っている小川は、不忍池の端から流れ落ちているので、忍川という。下谷の町をめぐったのち、勘兵衛の町宿裏を流れるころには鳥越川と名を変えて、やがては大川に落ちる川だ。

忍川には、幅広の木橋が一本、架かっている。

のちに、この橋は三本に増え、〈三橋の景〉として江戸名所図会にも描かれる。

その絵には、いましも将軍家が寛永寺に墓参しようとする行列が描かれている。その行列が、まるで蟻の行列に見えるほどの道幅になっていることが、手に取るようにわかるのだ。

そのときには二王門もなくなり、わずかに仁王門前町という町の名に名残をとどめるだけとなるのだが、ま、この件《くだり》は延宝のころの上野広小路を伝える筆のすべりにすぎない。

勘兵衛がこれから辿ろうとする黒鍬町への道は、黒門をくぐらず右手に入っていく、上野山崖下の道である。

勘兵衛が忍川を小橋で渡りだしたとき、ふわりと風が起こった。その風に誘われたように、

（ふう……）

大きく息を吐きだしたあと、

（そうだ、菓子屋だった）

妄想とも、罪悪感ともつかぬものにとらわれていた勘兵衛は、思わず苦笑した。

火盗改め役宅

1

このところ勘兵衛は、つとめて外出し、家にあっては庭に出て〈残月の剣〉の稽古に余念がない。一日も早く体力を取り戻したい、と願ってのことだ。

その日は、番町のはずれまで向かうことにした。

行き先を告げて、町宿を出ようとすると八次郎が力んで言う。

「きょうこそは、お供をいたします」

「一人でよい。おまえはもう少し剣の腕を上げろ」

「あ、はあ……」

八次郎は、しょげた声になった。

八次郎を［高山道場］に通わせはじめて、そろそろ一月半になる。
だが先日、久し振りに道場に顔を出した勘兵衛が、
――八次郎は、少しは上達しましたか。
師範の政岡進《まさおかすすむ》に尋ねたところ、
――さて……。
政岡は八次郎を振り向いたのち、少し考えた。
それから、おもむろに答えた。
――まあ、長い目で見ることだ。
それで、八次郎はうなだれた。
人間には得手不得手があって、八次郎には剣の才、がなさそうだ。
（まあ、今しばらくは通わせてみて……）
と勘兵衛は考えている。
せめて自分の身くらいは自分で守れるようにならんとな、と言った手前もあった。
だが、生兵法は大怪我の基、ともいうから、いずれは――。
（なにかあれば、そのときには一番に逃げろ）
と言い直してやろう、とも考えている。

だから、供をしたい、と願う八次郎を邪険にする必要はないのであるが、それは一種の勘兵衛の意地であった。

八朔の日、炎天下を歩いて疲れきり、勘兵衛はつくづくと自分の体力が落ちているのを実感した。

幸い八次郎には、そんな惨めな姿を知られず終わっている。

(主人として、家僕に弱さを知られたくない……)

のであった。

それで体力が戻るまでは一人で行動したい、と勘兵衛は思っているのに、八次郎はともかく供をしたがる。

それを剣術の稽古に励め、と口実をつけるために、わざと［高山道場］まで出向いて、政岡から八次郎への評を引き出したのであった。

八次郎には、すまぬが、

(これで、当分は時間を稼げる)

と勘兵衛が、町宿のある［常陸屋権兵衛《ひたちやごんべえ》］店の長屋木戸をくぐろうとしたとき、後からバタバタと足音が聞こえた。

振り返ると、竹刀に道場着をくくりつけたのを肩に、八次郎が駆けてくるのであった。

「途中まで、ご一緒いたします」

「うむ」

苦笑するしかない。

ここから向柳原までの道は、幾重にも折れ曲がっていく葛《つづら》折りの道で、俗に〈七曲がり〉と呼ばれている。

その〈七曲がり〉へ足を踏み出しながら、

「旦那さまは、幸坂甚内《こうさかじんない》、というのをご存じですか」

「この先に、甚内橋というのがあるが、その謂《いわ》れになった人物であろう」

誰からだったかは忘れたが、そんなことを聞いたことはある。だが甚内が、どういう人物であったかまでは知らない。

その甚内橋は、ここから一町ほど北の鳥越川に架かる橋だ。

「幸坂甚内の例祭が、この十二日にありますが、その折には、ちょっと覗いてみませんか」

「例祭が？　というと、その幸坂甚内というのは、どこぞに祀られておるのか」

「はい。この御屋敷内に」

八次郎が指したのは、いましも〈七曲がり〉の最初の角を曲がろうか、というところに建つ旗本屋敷であった。

「本多長門守《ほんだながとのかみ》さまの、屋敷内にか？」

およそ四千坪はあろうかという、その屋敷の主は寺社奉行であった。

「はい。なんでもお庭に鳥越川より水を引いた池があって、そのほとりに九尺二間の厨子を建て、左右に両大臣を従えて祀られておるそうで」

「ふうん。では、その幸坂甚内とやらは、本多長門守さまとゆかりの人物、というわけか」

「いえいえ、そうではありません。幸坂甚内というのは盗賊の頭で、捕らえられて磔《はりつけ》になった男ですよ。四十年ばかり昔までは、このあたりが処刑場で、甚内が葬られたのが、ちょうど本多さまの屋敷内だった、ということです」

「なんと、大泥棒が神様になったというのか」

なんとも珍しい話だ、と勘兵衛は思った。

「はい、幸坂甚内は、武田家家臣の子だったそうですが、武田家滅亡のあと孤児となったところを、ちょうど武者修行中の宮本武蔵と出会い、十一歳のときに弟子になった男だそうです」

「ほう、宮本武蔵！」

その名に、思いがけず勘兵衛が懐かしさを覚えたのは、もう半年ばかり前になるが、ある事情から話を交わしたことのある、柴任三左衛門《しばとうさんざえもん》という武芸者を思いだしたからだ。

柴任は武蔵の二天一流を正統に継ぐ、三代目の師範だった。

(今ごろ、柴任先生は、どこでどうしておられるか……)

大和郡山支藩を致仕し、飄然と江戸から姿を消した、ぶっきらぼうではあったが、ひととしての温かさを感じさせた剣客の風貌を心にのぼらせている間にも、八次郎のおしゃべりは続く。

「で、その甚内ですが、武蔵が、お玉ヶ池近くに道場を構えたころには悪事を覚え、辻斬り強盗などを働いたので破門となりまして、その後は、とうとう強盗団の頭となったそうで……」

「そんな悪人が、どうして神として祀られるようになったのだ……？」

(解《げ》せぬ……)

と勘兵衛が思ったのを見計らったように、

「それがですね……」

舌なめずりでもするように、八次郎が続ける。

「これを召し捕るべく出動したのが、ときの火付盗賊改役《ひつけとうぞくあらためやく》だった青山主膳《あおやましゅぜん》……ほら、皿屋敷の怪談でおなじみの、例の青山主膳だったわけで……」

(なるほど、そういうふうにつながるわけか……)

なぜ八次郎が、突然に幸坂甚内とかの話をはじめたのか、の根っこが知れた気がして、勘兵衛は苦笑した。

だが、それには素知らぬふりで、

「なるほど……、すると、青山主膳が幸坂甚内を捕らえたのだな」

「それが、なかなか、そうはまいりません。なにしろ甚内は武蔵の弟子だから剣も強く、子分の数も多いので、たいそう難儀をしたそうです。ところが、たまたま甚内が瘧《おこり》にかかり、それでとうとう御用になってしまった、ということです」

「ふうん」

それで終わりか、という気のない返事をすると、案の定、八次郎は意気込み、

「瘧で動けぬところを捕らえられた甚内は、それをたいそう悔しがり、磔の際に、瘧に苦しむ者は我を念ぜよ、さすれば守護の神となりて守らん、と叫んだそうで、以来、瘧除けの神として祀られ、命日の八月十二日が例祭、毎月十二日が縁日で、参拝の者

はあとを絶たず……」

男女の別やら年齢に、瘧を治してくれと記し、表書きに〈幸坂さま〉あるいは〈甚内さま〉と書いた願書を奉ずるのだという。

瘧というのは、現代でいうマラリアのことで、平清盛などもこれで死んだ。なかなか厄介な病なのである。

こうして幸坂甚内に神頼みして、無事に病除けやら、癒えたるときは、鳥越橋から酒や干し魚を川に投げ入れてお礼参りをする……と八次郎が話を続けるうちに、二人は早くも〈七曲がり〉を抜けて、もう新《あたら》シ橋の袂に近かった。

話すだけ話して、急に無口になった八次郎と橋を渡り、柳原通りを東に向けて歩いた。

古着屋の露店が列をなす土手下の道は川風に包まれ、先日の暑さが嘘のようだ。

土手には、ところどころ、真っ赤に燃えるような曼珠沙華が群生し、その根方では露草が、冴え冴えと青い小さな花を結んでいる。

陰暦の秋は七月から九月まで、七月を孟秋、八月を仲秋、九月を季秋と呼ぶ。

（もうすぐ……）

仲秋の十五夜だな、と口に出しそうになった勘兵衛だったが、それを抑えた。

やや後方から無言のまま従ってくる八次郎に、うっかり声をかけたら、そこにつけいられそうに思えたからだ。

かわりに、もうすぐ和泉橋袂というところまできて、勘兵衛は立ち止まった。

このあたりはずっと大名屋敷や旗本屋敷の続くあたりで、黒川丹波守《くろかわたんばのかみ》と大沢《おおさわ》兵部《ひょうぶ》の両屋敷の間から南に道が分かれるあたりだ。

「…………」

見つめてくる八次郎に、

「では、な」

と声をかけ、勘兵衛は続けた。

「道場へは、こちらからが近道ではないのか」

「は……」

丸くなった目に、かぶせるように言った。

「しっかり稽古に励むのだぞ」

言うだけ、言って、くるりと背を向けた。

その背に、八次郎の視線を感じながら勘兵衛は、

(すまぬな……)

今しばらくの辛抱だからな、と八次郎に詫びていた。

2

のちに昌平橋と名を変える相生橋を過ぎると神田川沿いの道は、駿河台土手と呼ばれる坂道になる。

ここから先、お茶の水を経て水道橋へいたる道筋は風光も絶佳なところで、川には鴫《しぎ》や千鳥が遊び、五位鷺《ごいさぎ》も涼しげに純白の翼を広げて舞っていた。

(うむ……!)

坂道を休むことなく一気に抜けてきたが、息さえ弾ませていない自分に、勘兵衛は気づいた。

疲れるどころか、秋風が抜けていく土手道を歩いて、むしろ爽やかでさえある。

(これならば……)

八次郎に、供を許してもよかったかな、と勘兵衛はちらりと思った。

これから向かおうとする番町のはずれは、四ッ谷御門から近い麴町あたりだ。

火付盗賊改の頭《かしら》、岡野成明《おかのなりあき》の役宅を訪ねようとしている。

火盗改めは文官の町奉行とはちがい、捕縛の方法も取り調べも手荒く、江戸市民からひどく恐れられる存在だ。

その火盗改めの役宅へ出向くと聞いて、八次郎は胸が躍ったのではないか。こわいもの見たさ、というやつである。

(だからこそ……)

供をあきらめきれない八次郎は、幸坂甚内の話を持ち出し、それを捕らえた火盗改めの青山主膳を出して、勘兵衛の気が変わるのを期待したのではないか。

勘兵衛は、そう感じたのである。

(いや、もしかして……)

八日間の居所不明とその後の変化から、なにやら、勘兵衛が秘密を抱いているようだ、と察し……。

あるいは、またも勘兵衛が居所不明になるのではないかと心配して……。

八次郎は、自分から目を離したくない、と思っているのかもしれぬな……。

そんなふうにも思う。

やがて、水道橋も越え小石川御門も越えて飯田町を抜けると、もうまもなく番町であった。

（そういえば……）

岡野成明の役宅の隣りにある常仙寺の大楠の下で、松田と二人でした密談のことを、勘兵衛は思いだした。

（あれは、かんかん照りの日であった……）

常仙寺での勘兵衛と松田の密談は、江戸藩邸に匿っている松平権蔵を、いずこに移そうかということに端を発し、葭町の顔役［千束屋］政次郎に白羽の矢を立てた。

ところが、その政次郎には霊岸島の、［般若面《はんにゃめん》の蔵六《ぞうろく》］という敵がいて、ことあるごとに命を狙って襲ってくる。

政次郎に権蔵を預けるには、これが、どうにも邪魔だった。

蔵六は江戸で鼻つまみの悪人であるから、この際、火盗改めに頼んで、子分ともども一網打尽にしてもらおう、ということになった。

勘兵衛が、火盗改めの頭である岡野成明と知己を得たのも、そのような事情からである。

やがて勘兵衛は、薬師横町の岡野邸に着いた。五百石、九百坪の敷地が広がっている。

あいにく岡野成明は他出中であったが、顔見知りの与力、江坂《えさか》鶴次郎《つるじろう》が詰めていた。

「おう、ようこられた。ま、ま、上がられい」

頭が勘兵衛の顎の下に入るくらいの小男で、名のとおり鶴のように細い江坂が、愛想よく迎えてくれた。

火盗改めの御役は一年勤務、というのが建前だから、長官である頭の屋敷が、そのまま役所となる。一年勤務といっても、よほどのことがなければ辞令は毎年出て留任になるのが常で、屋敷内には牢も作り、白州も作っている。

3

江坂が勘兵衛を案内したのは、与力部屋である。

与力十騎、同心五十人というのが火盗改めの陣容であったが、二十畳ばかりの部屋はがらんとして、江坂の他は、目つきの鋭い与力が一人いるきりだった。

「いやいや、ほどよいところにこられた。まもなくすれば、巡邏に出かけるところであった」

犯罪撲滅と、検挙が任務の火盗改めの配下たちは、ときには変装もして日日、江戸市中を巡回しているのである。

頭《かしら》自らが忍び廻りをして、御馬先召取りをすることすらあるのだ。

「それは前触れもなく、突然にお伺いして申し訳ありませんでした。ついつい取りまぎれて遅くなりましたが、きょうは霊岸島の一件について、御礼を申し上げようと参上した次第です」

言って、用意の菓子折を差し出した勘兵衛に、

「ははあ、［般若面の蔵六］のことか」

「はい。おかげさまにて、きれいに片づけていただいたと喜んでおります」

勘兵衛が［和田平］の離れで傷を癒している間に、蔵六一家は、火盗改めの手で一網打尽にされていた。

「なんの、なんの。礼を言わねばならぬのはこちらのほうじゃ。おかげで［逆叉《さかまた》の弁《べん》五郎《ごろう》］一味を、根こそぎ捕らえることができたのだからな」

その［逆叉の弁五郎］というのは大がかりな盗賊の頭で、上野《こうずけ》（群馬）、下野《しもつけ》（栃木）あたりの街道筋で追い剝ぎばたらきを盛んにして、火盗改めを悩ませていた。

俗に八州廻り、とも呼ばれる関東取締出役の制ができるのは、これよりまだ百数十年もあとのことだから、火盗改めは、ときには江戸市中を出て、近郊にも出動しなければならなかったのである。

「おかげで我らにも、たっぷりと褒美が出てな……」

江坂は、莞爾《かんじ》とした。

その追い剝ぎ団が奪った旅人の衣服や道具類は換金のため、ひそかに江戸に持ち込まれ、それを蔵六の一家が捌《さば》く、という構図になっていた。

「お頭さまも、老中や若年寄から誉められて、大いに面目を施したそうだ。それも元はといえば落合どのが、逆叉と般若面の結びつきを知らせてくれたおかげだとおっしゃってな。つい先日に一味の取り調べも無事終わったゆえ、落合どのに、ぜひ報奨金を出したい、というようなことを仰せられていたぞ」

「とんでもございません。ゆえは申せませぬが、助かったのは、こちらのほうでございますよ」

たまたま両者の利害が一致しただけのことである。

「いやいや、それでは、お頭さまの気がすむまい。岡野さまは、そういうお方だ」

「ははあ……」

でっぷり太った、巨体の岡野成明の風貌を思い浮かべながら、勘兵衛はしばし考えた。

「ところで、［般若面の蔵六］の処断は、もう決まりましたか」

「もちろん、［逆叉の弁五郎］ともども打ち首獄門だ。残りの者たちも、ごくごく小者は除いて、八丈送りが決まっておる。二度と江戸の土は踏めまいよ」

「なるほど……」

（すると、もう仁助《にすけ》には累が及ばぬ、ということか……）

そこまで考えてから勘兵衛は、

「実は七月五日の夕に、例の草加宿の〈末広や〉という宿屋にて、一味の者たちが顔を揃える、ということを教えてくれた者は、別におりまして……」

「ふむ。やはりそうであったか、いや、お頭さまも我らも、そこのところが不可解でな。落合どのが、どのようにして、あのような情報を得たのであろう、と不思議に思っておったのだ」

「たまたまのことだったのですよ。実は、我が家に出入りの魚屋で、仁助というのがおりまして……」

病の父親を見舞いにいった仁助が、帰り道に、一味の話を偶然に耳にしたあげく、追われて危うく一命を落としそうになったこと、などを詳しく話した。

「ですから、褒美なら、わたしにではなく、仁助が受け取るのが筋でしょう」

「そうか、そういうことがあったのか……。いや、それで得心いたした。その仁助とやらのことは、必ず、お頭さまの耳に入れよう」

「よろしくお願いします」

というような会話を交わしている二人に、のっそり人影が近づいてきて、

「いや、話に割り込んですまぬ。つい耳に入ったものでな。ええと、こちらが噂の落合勘兵衛どのか」

部屋にもう一人いた、目つきの鋭い与力であった。

「ああ、こりゃ鷲尾《わしお》うじ、さよう、こちらが落合勘兵衛どのじゃ」

答えて江坂は勘兵衛に向かい、

「こちらは同僚の与力で、鷲尾という。先月五日の捕り物で、我らは草加宿へ出動したが、鷲尾うじの一隊は霊岸島へ向かい、[般若面の蔵六]の子分どもを一網打尽にしてくれた」

「さようでしたか。これはご挨拶が遅れました。落合勘兵衛と申します」

「いや、こちらこそ、お見知りおき下され。鷲尾平四郎《へいしろう》でござる」

精悍な顔だちの、二十代半ばの与力だった。

4

その鷲尾が、鋭い一瞥ののち、

「落合どのは、葭町《よしちょう》の口入れ屋、［千束屋］と懇意であられるか」

ずばりと切りこんできた。

これには、勘兵衛も緊張した。

というのも、例の松平権蔵を上屋敷から連れ出したのち、その［千束屋］政次郎ゆかりのところに隠している。

だが、権蔵のことは最大の密事で、知られてはならぬことなのだ。

「はあ、まあ、政次郎どのとは、ひょんなことから知り合いまして、まあ懇意といえば懇意……、ときどき行き来もございますが」

そろりと、様子見の返事をするしかない。

「ふむ。なんでも、［千束屋］が闇討ちを仕掛けられた折に、落合どのが、それを助けた、とか聞いたのだが……」

「はあ、それが［千束屋］と知り合うきっかけとなったのでございますが……」

さすがに火盗改め与力だけあって、探索はたしかだ。

だが、それを感心するよりも、勘兵衛にはかえって緊張が増してきた。

「以来［千束屋］とは知人というより、むしろ歳上の友人、というような感じでつきあっておりますが、なにか問題でもございましょうか」

「いやいや、そういうことではないのだ」

鷲尾は破顔した。笑うと、意外に人なつっこそうな表情になった。

「［千束屋］政次郎の評判は、すこぶる良い。だから、問題などはひとつもないのだ。ただ……あれより、般若面の子分どもを取り調べておるうちに、そんな話が出てくるし、他にも、いろいろとわかってきたことがあったものでな」

「ははあ……」

「片や［般若面の蔵六］は近隣の鼻つまみ者で、それが政次郎を闇討ちにしようと狙っていたわけだから、落合どのが落月屋梁《らくげつおくりよう》の想いに駆られたであろうことは、いやいや、失礼ながら、よくわかってござる」

感激の匂いを立てながら、鷲尾は言った。

（ははあ……）

〈落月屋梁〉とは、杜甫《とほ》の詩の一節だ。

友の李白《りはく》が戦乱に巻き込まれ捕らえられたと噂を聞いた杜甫は、〈李白を夢む〉と題した詩に、

落月屋梁に満ち、なお顔色を照らすかと疑う

と、月光に照らされる屋根の梁に、李白の幻を見るほどに心配する、という心情を吐露している。

だから鷲尾の言う、落月屋梁の想い、とは友情、あるいは友を思う胸中を指していた。

（なるほど、そのようにとってくれたか……）

勘兵衛は、一気に緊張が解ける想いがした。

つまり鷲尾たち火盗改めは、勘兵衛が［般若面の蔵六］一家を、ひと揉みにたたきつぶしてほしい、と頼みにきたことを、政次郎への友情から、というふうに理解したらしいのだ。

「だがな、これも調べでわかったことだが……」

鷲尾は、再び眼光を鋭くさせて言った。

「蔵六が消えたといって安心はならぬぞ。蔵六の後ろには、もっと大きな鼠が控えておるのをご存じか」

「さて、拙者は見知っておりませんが、それは、日傭座支配の長兵衛のことでございましょうか」

「そうだ、安井長兵衛のことだ。いや、わかっておれば、それでいいのだが……」

江戸の治安のために日雇いや行商人に鑑札を発行する制度があって、鑑札がなければ働けない仕組みになっていた。その権益を与えられているのが日傭座支配である。なにしろ江戸中の日雇いや、行商人たちから月に二十四文の鑑札料をとるから、莫大な権益となる。

だが、月に四日や五日くらいしか仕事にありつけぬ者に、この鑑札料は重い負担となってのしかかる。

「千束屋」政次郎は、そういった弱者に人宿《ひとやど》という住居と食事を与え、また仕事も斡旋している。こういうのを〈寄親《よりおや》〉と〈寄子《よりこ》〉の関係という。

当然、この行為は日傭座支配には敵対行為と映って、それで安井長兵衛は、政次郎をつぶそうと躍起になっているのであった。

「調べれば調べるほど、長兵衛は、かなり阿漕《あこぎ》なことをやっていることがわかってきてな。おいおい探索を深めて、いずれは動かぬ証拠で追いつめてやろうと思っておる」

「それは、ありがたい。［千束屋］も喜びましょう」

「うん。楽しみに待ってくれ。だが、すぐにというわけにはいかん。それまで政次郎には、油断せぬようにと伝えておいてくれ」

「必ず伝えましょう」

「ま、それはそれでいいのだが……」

「………」

まだ、なにかあるのかと勘兵衛がいぶかっていると、

「ところで落合どのは、越前大野藩の御家中であられたな」

「はい。ご存じのとおり、江戸留守居、松田与左衛門の配下であります」

「いやいや、聞いておる。それで、うむ、これは……耳に入れたほうがよいのかどうか……ううむ……」

なんだか、気になる言い方をした。

「ご遠慮なく、なんなりと」

「うむ。いやな、これは役目柄でもなんでもないことなのだが、つい一昨日のこと、

拙者非番の日に、ほれ、芝の切り通しに新しき時鐘櫓が完成したと聞いてな、それを見物に出かけた、と思ってくれ」

「はい」

その時鐘櫓のことは、勘兵衛も知っている。

あれは二ヶ月ほど前のことだが、愛宕下より芝の切り通しを経て増上寺に向かったことがある。

そのときまだ、櫓は普請中であったのだが……。

(そうか。あれが完成したか)

そういえば、黒鍬者の菊池兵衛に初めて会った日であったな、と勘兵衛は思いだした。

鷲尾の話は続く。

「その折に気づいたのだが、貴藩の上屋敷を見張る、怪しき一団があったようだが、なにか、心当たりはあられるか」

「さて……」

首をひとひねりしたあと、勘兵衛は決心をつけて言った。

「この何ヶ月か、たしかに愛宕下の一画を見張っておる、怪しき一団がいるのは承知しております。しかしながら、それが我が藩邸を見張っておるかどうかは、いまだ定かならず……」

「いや、まちがいなく貴公の屋敷だ」

「と、いいますと……」

鷲尾があまりに断定的なので、勘兵衛は驚いた。

「うむ。はじめはな、芝の切り通しで編み笠姿の、挙動不審な武士に気づいたのがはじまりだが……」

(あの男だな)

と、勘兵衛は思った。

そのとき、その編み笠は、勘兵衛が近づくと、切り通しの坂を逃げ、時鐘櫓の普請場へ逃げ込んでしまったものだ。

「おかしいなと思った拙者は、気になりながら桜川沿いの道をたどっていたが、すると、あちこちに怪しい人影が、ひそんでおるではないか」

「はい、それも承知しております」

桜川沿いのみならず、屋敷周辺の道道に曲者《くせもの》が配されていることを、勘兵衛は確認していた。

「そうか。ご存じなら、それでいいのだが……」

鷲尾の声の調子が落ちた。

「いえいえ、これはことばが足りませんでした。して、なにゆえ鷲尾さまは、その曲者どもが、我が上屋敷を見張っている、と思われたのでしょうか」

「うむ。そのことよ」

鷲尾は大仰《おおぎょう》にうなずいて見せた。

「さよう。ちょうどその道で、旅装の武士とすれちがったと思われよ」

「ははあ……」

「何気なく振り向くと、旅の侍は、ちょうど貴公の屋敷の門前に足を止めたところであった」

「それで……」

「うむ。するとじゃ」

鷲尾は、ちろりと唇を舌で湿したあと、

「青松寺の門柱に隠れるように立っておった曲者の一人が、やにわに、その旅の武士に近寄った」

「なんと」

「それればかりではない。先の芝切り通しの編み笠も、どこから湧いたともしれぬが、三人ほどが、たちまち旅の武士を取り囲みよった。そのとき曲者は、なにか言ったようだが、それは聞こえなんだ。だが旅の武士が、〈そのほうら、いずこの家中の者か！〉と叫んだのだけは、はっきり、この耳が捉《とら》えた」

「なるほど、そのようなことがございましたか。で……」

（さて、その旅の武士とは何者であろうか……）

そんなことを考えながら、先をうながす。

「うん。その騒ぎに、貴邸の門番が飛び出してきた。件《くだん》の武士は、その機に乗ずるように邸内へ飛び込み、曲者どもは四散した」

「なるほど……」

その状況からすれば、もはや認めざるを得ない。

「では、曲者どもが見張るのは、やはり我が江戸屋敷ということになりますな」

「うん」

「…………」

鷲尾も重重しく、うなずく。

勘兵衛は少し考え、ことばを足すことにした。

「我が殿は、今は国許ですし、若君とその御簾中《ごれんちゅう》は高輪の下屋敷に。すると愛宕下に残るは家中ばかり。拙者の知るところ、国にも、江戸屋敷内にても、これといった争いもなし。そうすると、さて……？　とんと事情が見えませぬなあ」

首をひねって見せたのは、最初に鷲尾が、言ったものか、言わぬがいいか、といった逡巡を見せたからである。

あるいは、藩内に内紛でも起こって、と誤解されているようなら、それを打ち消して、おかしな噂にならぬようにしておく必要がある、と考えたのだ。

すると、脇から江坂が、声をかけてきた。

「そりゃ、また、気色の悪いことでござるな」

「いや、まことに……。薮蚊のように、うっとうしいかぎりでございます」

「さもあらん。で、なにか、手は打ってござるのか」

「いや、格別には。なにが目的かはわかりかねるが、こちらには探られて困ることなど、なにもなきゆえ、放っておけと留守居どのも申しておられる」

「ふむ。したが……」

小柄痩軀ながら、顔だけは福助人形のように大きい江坂が、真剣な顔になっている。

「孫子にも、敵を知り己を知らば、とあるからのう」

「それは、そのとおりなのですが、薮を突いて、ということもありますから」

「ふん。それもそうじゃのう」

苦笑したのち江坂は、

「よし、では先日の礼というわけではないが、その曲者たちの正体を、それとなく当方で探ってみようではないか。いやいや、怪しき者を探るのが我らが仕事にて、これはこちらが勝手にやることゆえ、貴藩には関わりなきことじゃが……」

そう言って、江坂、鷲尾の両与力は、笑みを含んだまなざしを勘兵衛に向けた。

5

岡野成明の屋敷を辞した勘兵衛は、南の麴町通りに出ると、まっすぐ半蔵御門前まで東進し、あとは桜田堀沿いに足を急がせた。

愛宕下へ、向かうつもりだ。

火盗改め与力、鷲尾平四郎によると、一昨日、旅装の武士が江戸藩邸へ入った模様だ。

それがどういった者か、勘兵衛には容易に予測がついた。

それで江戸藩邸へ、足を急がせている。

小半刻ばかりで愛宕下通りに入り、薮小路に近づいてからは、いつものように足並みを落とし、むしろゆっくりと進む。

案の定、そこには編み笠の武士が佇んでいて、勘兵衛の姿を認めると、そそくさと桜川の小橋を渡って、小路の奥に引っ込んだ。

この見張りが現われたのは五月も半ばのことだから、もう、三ヶ月近くになる。

すると敵のほうも、こちらの顔を覚え、いつもするするする逃げて衝突を避けようとする。

相手の顔は笠に隠れて見えぬが、折折に身体つきや背の高さが変わるから、交代しながら見張っているものと思われた。

(いったい、全体で、何人いるものやら……)

それに日暮れてのちは、どのように見張るのか、と考えかけて勘兵衛はやめた。ばからしくなったのである。

第一、目当ての松平権蔵は、すでに屋敷内にはいない。

そのことを知らず、まだいるものと信じて見張りを続けているようだから、

(いや、ご苦労さん)

といった気持ちの余裕があった。

（しかし……）

松平権蔵が愛宕下の屋敷にいる、と信じている者は、なにも一団だけではなかったのである。

松平権蔵の密書を受けて、福井を脱藩してくる者たちも、権蔵はまだここにいると思い込んでいるのであった。

江戸屋敷内に入り、まっすぐ松田の役宅へ向かうと、用人の新高陣八《にいたかじんぱち》が出てきて、

「松田さまは、ただいま、中食《ちゆうじき》中でありますが……」

と言いかけ、

「あ、冷やし素麺でありますが、よければお持ちしましょうか」

「それはありがたい」

そういえば、そのような時刻であった。

「では、すぐにも用意させましょう」

この新高陣八は、八次郎の父である。長男の八郎太が松田の若党で、次男の八次郎が勘兵衛の若党であった。

「お、まいったか」

松田はあぐらを組んだ前に、小さな盥《たらい》を抱え込むようにして、素麵を啜りながら言った。

「そろそろ、おまえに使いを出そうか、と思っていたところだ。うん、おまえも一緒に食え」

「はい。新高どのが、わたしにも膳を調《とと》えてくださるそうで、どうぞお先に」

「そうか。いやな……。この……。まあ、よいか」

「なにが、でございましょう」

「まあ、いいではないか。それより、きょうは元気そうじゃな」

「は」

そういえば麴町より半里を超える距離を急いできたが、疲れはまったく感じていない。体力は、もうすっかり戻ったようだ。

「それより一昨日あたり、招かざる客があったのではございませんか」

「ほう」

素麵をすくい上げようと、小盥に利休箸を突っ込んだまま、松田がにやりと笑った。

「早耳じゃのう。それでこそ、耳役だが」

「やはり、越前あたりからでございますか」

「うむ。厄介なことじゃ」

やはり、そうであったか、と勘兵衛は思う。

松平権蔵こそが正しき後継者、と信じる者がまた一人、福井藩を脱藩してきたようだ。

「したが、勘兵衛、どうやってそれを察知したな」

「はい、実は……」

火盗改め与力とのやりとりを、説明している間に、松田はすっかり素麵を平らげ、
残った素麵つゆを、うまそうに飲み干した。

「なるほど、世の中は狭いものじゃ」

松田は、そう言ったあと、

「それにしても迷惑な連中じゃの」

「まことに……」

勘兵衛も相槌を打ったが、さて、松田が迷惑だと言ったのは、三ヶ月近くも見張り
を続けている連中のことか、それとも松平権蔵や、それを慕って集まってくる脱藩者
たちか……と考えた。たぶん、両方ともにであろう。

「いずれにしましても、招かざる客を、どうにかかせねばなりません」

「さよう、名は三杉堅太郎《みすぎけんたろう》というて郡方《こおりかた》代官手代だったそうだ。とりあえずは家老のところに預けておるが、そういつまでもというわけにいかん。その算段は、そなたにまかせるから考えろ」

松田は簡単に言うが、これがなかなかにむずかしい。

第一、外は見張られていて、うっかり権蔵のところへ連れていけば、匿っている場所を知られてしまう。

第二には、その三杉堅太郎を簡単に信じるわけにもいかないのだ。権蔵の味方を装う諜者、という可能性もある。

「ま、とにかく食え。話はそれからじゃ」

勘兵衛のための膳が届いた。

(ふむ。うまい……)

ことに、素麵つゆがすばらしい。

「いや、しかし、あの権蔵、いや松平権蔵さまが、それほど人望があろうとは意外でした」

勘兵衛の正直な気持ちである。

ひょろりと背ばかり高く面皰《にきび》面の権蔵は、自分を律することのできない阿呆な若殿、といった印象しか勘兵衛に与えていない。

それを脱藩してまで主に立てよう、という藩士がいる。それが意外だったのだが
――。

「ばかをいうな。あんな小僧に人望などあるものか」

一言《いちごん》のもとに、松田は吐き捨てた。

「では、やはり忠でありましょうか」

仁、義、礼、忠、孝などは、武士の哲学として幼いころからたたき込まれる。

「ちがう、ちがう。勘兵衛もいま少し、人間というものの正体を、見極めておかねばならんぞ」

「と申しますと……」

「たとえば、こたびの三杉堅太郎じゃ」

「はあ」

「郡方代官手代というから、これは小役人だ」

「そうで、ありましょうな」

「元もとが、昇進の機会もなさそうなところに、新たな藩主が譜代の者を連れて国入りしたとなれば、こりゃもう、先は知れておる。ところが、ここで権蔵めを立てて、

一発逆転でもできれば先ざきは明るい。つまり三杉にすれば一世一代の賭け、なのじゃよ」

「ははあ……」

なるほど、そのような見方もできるものか。

(しかし、なにやら、うら悲しい……)

そんな想いで、勘兵衛は素麵を嚙んだ。

ついでに、薄まった素麵つゆを飲み干し、湯桶《ゆとう》から新たな汁《つゆ》を汁椀に注ぎ、おろしたての生姜を投げ込んで残りの素麵を食い続けた。

「ところで、どうじゃ、その汁は」

「ははあ、まことに美味。濃厚にして芳醇といいますか。このような素麵つゆは、はじめて口にいたします」

「そうじゃろう。そりゃな、アゴというて、飛び魚のことだが、その身を焼いてダシにとるらしい」

「そのような工夫がございますのか」

「そうよ。[和田平]の女将にな」

松田の口から、小夜のことが出て、勘兵衛は思わずむせそうになった。

「あんまりうまかったものだから、無理を言うて、分けてもらってきたのだ」

「コホン、あ……、わ、［和田平］に」

「うむ、昨夜な」

「そ、そ、そうですか」

「どうした。素麺でも喉に詰めたか」

「い、いえ、少しばかり……あの、［和田平］にはときどき？」

「いや、あれからはじめてじゃよ。よいところを教えてもろうたので、さるお方と、お忍びで会う場所に使わせてもろうた」

松田に［和田平］を教えたのは、勘兵衛である。やはり密談の席であった。

「…………」

はたして松田は、勘兵衛と小夜の仲を察知したのかどうか、と息を殺しながら食い続けていると、松田が、

「食い終わったら、近う寄れ」

（こりゃ、いよいよ……）

そそくさと箸を置いて近づいた勘兵衛に、松田が小声で言う。

「昨夜会うた方というのは、他でもない。堀田備中《ほったびっちゅう》さまだ」

「え、堀田備中守さまというと、若年寄の……？」

松田は重重しくうなずいた。

堀田備中守正俊《まさとし》は、上野安中《こうづけあんなか》二万石の城主でもある。

「松平権蔵さまの件でございますな」

「こう、周囲が賑やかになってきては、そうそう悠長に構えてはおられなくなったでな」

国帰り中の藩主が江戸に戻ってくるのは、来年の春を過ぎてからだから、それまでに幕閣への工作をすませておく必要があった。

「庶子とはいえ、権蔵が、家康公の血を引く者であるのに変わりはない。それを、闇から闇に葬れるものでもない。その点を老中の稲葉《いなば》さまに打ち明けたところ……」

老中の稲葉正則《まさのり》には、勘兵衛も知己を得ていた。

その稲葉から、若年寄の堀田正俊にも話を通しておいたほうが良かろうとの指示で、昨夜、密会したのだそうだ。

「で、首尾は、いかがでございましたか」

「さて……の」

松田は首をかしげたのち、

「権蔵が福井を逐電したことも、それを苦にして父の光通が自害したことも、すでに堀田どのはご存じであった。ただ、その権蔵が我らに匿われていたことには、驚いたご様子でな」

「はい」

「越前松平家の一員である我が殿が、権蔵を庇護して正式に幕閣に届けるというなら、これは誰にてもとどめられるものではない、とおっしゃる」

「ははあ、なんとも微妙なお返事に思えますな」

「そうなのだ。ただ、そうなれば、当然、将軍にも拝謁ということになろうから、その労は執《と》る。ただし、それまでに変な邪魔が入っても困ると言われるので、そういえば近ごろ我が江戸屋敷のまわりに、怪しい連中が徘徊しておりますと正直に申し上げたところ、構えて騒動は避けられよ、とのことであった」

「ははあ……」

「そのうえで、我らが権蔵を匿っていることは、稲葉老中と我以外には漏らさぬようにしてもらいたい、と念を押された」

「ならば、上首尾ではございませんか」

「うむ、それは、そうなのじゃが……」

松田の長い白髪交じりの眉毛に、迷いの色が漂っている。

「堀田さまというのは、目から鼻に抜けるような御仁でな……、それがいささか気にかかる」

「…………」

「…………」

二人して、しばらく沈黙が続いた。

勘兵衛には、松田がなにを不安がっているか、よく見えない。

そこで、思いきって尋ねた。

「なにを、お迷いでございますか」

「いや……、うむ、ことを急ぎすぎたかな、とも思うておる」

「そうでしょうか」

「うむ。急げば、むざむざと落とし穴に落ちることもあるからな。そうは思わんか」

「さて……」

勘兵衛は少し考えてから言った。

「詭弁《きべん》のように聞こえましょうが、わたしには、世に落とし穴などは、ないと思っております」

「どういうことじゃ」

「落ちてはじめて、落とし穴と知るわけでございますから、それまでは、落とし穴などない。わたしの考え方は、そういうものでございます」

「ふむ。いかにも無茶勘らしい考え方じゃの」

「わたしの遠戚に、落合七兵衛《しちべえ》という者がおりますが……」

「おう、物頭《ものがしら》であったの」

「はい。そのひとは以前に風邪をこじらせ肺炎となって、一時は命さえ危ぶまれることがありましたが、それ以来、雪のころになりますと、風邪はひかぬか、ひいたらどうしよう、と、それはもう、たいへんな用心ぶりでございましてな」

「ふむ……」

「で、結局、風邪をひきますると、おう風邪をひいてしまった、とかえって安心する始末でして……」

「ほ、ほ、なるほど、ひととはそういうもんじゃ」

ひとしきり笑ったあと、松田は、

「なるほど、落ちるまでは、落とし穴など存在しないか……言い得て妙じゃの」

言った松田の眉に、もう迷いは消えていた。

脱藩者

1

家老役宅で、勘兵衛は越前福井からの脱藩者、三杉堅太郎に会った。

年のころは二十半ば、先刻会った火盗与力の鷲尾と変わらぬ年ごろであるが、印象はよほどちがう。

見目《みめ》姿が、どこかまだ旅塵にまみれたような印象の三杉は、日焼けた顔を朱に染めて、生唾飛ばすようなしゃべり方をする。

要するに、大いに気負っているのだ。

松田に言わせれば、一か八かの大勝負を賭けて脱藩してきたわけだろうから、無理もない。

「当屋敷に入る際、少し悶着があったようですが、子細をお聞かせ願えますか」

まずは、鷲尾が目撃したことを尋ねた。

「さよう。いきなり二、三人がばらばらと駆け寄ってきて、貴公、いずこよりおいでになったか、と尋ねられた。さては討手かと思うたが、それならば、まずは我が名を確かめるはずと思うての……」

「つまり、見知った顔はなかったのですね」

「うむ。いずれも、知らぬ顔でござった」

「それで、逆に誰何《すいか》された？」

「さよう。相手は答えなかったが、騒ぎを起こせば貴家にも迷惑をかけるおそれがあったので、やむなく、門内に飛び込ませていただいた」

三杉は、肩をそびやかすように答える。せいいっぱいの虚勢に見えた。

（いや、そうだろうか……）

ふとこのとき、勘兵衛に小さな疑惑が浮かんだ。

この屋敷を見張る者たちが、この三杉を取り囲んだという行動である。

（これまでに、なかったことだ……）

近づけば、ふい、と逃げていた者たちが……。

（あるいは、こやつ……）

疑いを抱いて、三杉を見つめた。

「いや、討手ならば斬り結ぶことになろうが、剣にはいささかの自信がござる。したが、自重が肝心と思ったのだ」

勢い込んでいる。

（わからぬ……）

脱藩は、家臣が主を見限る行為に他ならぬから、たとえ討手は出なくとも、欠落《かけおち》の罪を得て家名は断絶、捕らえられれば死罪にもなる。

それだけの覚悟で脱藩したのが、はたして松田が言うような、一世一代の賭けなのか、それとも――。

（しかし、比企さんのような例もある）

ほかにも三人が、同様な経緯で権蔵のところに集まっていた。

少し疑いすぎかな、と思い直し、だが用心だけはしておこう、と決めた。

そこで勘兵衛は、松平権蔵が、この大野藩上屋敷に匿われていることを、どのようにして知ったか、と尋ねると、三杉はやや怪訝な顔になり、

「やあ、これは異なことをおっしゃる。今や福井城下にては、知らぬ者なし」

なのだそうだ。

「ははあ、すると……」

勘兵衛は、注意深く尋ねた。

「故郷の主立った者たちへ、権蔵さまは密書を送られたそうだが、三杉さんのところへは、いかがでござった？」

「むう、それは……」

三杉は悔しそうにうなり、

「わしがところには届かなかった。じゃが、わしの任地は、権蔵さまがおられた八幡村から近く、権蔵さまも我が名や顔ぐらいはご存じのはず……」

「ふうむ……」

その程度の縁なのか、と思った勘兵衛の気持ちを読んだように、

「権蔵さまが、光通さまの跡を継がれるのが正しい姿。わしはそう信じている。それをいくら光通さまの遺言とはいえ、庶弟の昌親さまが継承しようなどとは、筋の通らぬ話でござる」

と、また口角泡を飛ばしはじめた。

「断わっておくが、これはなにも、拙者だけの思い込みではござらん。いくら先君の

御遺言とはいえ、こたびのことは、まるで平仄《ひょうそく》が合わない相続でござってな。ために福井では、家中が三つに分かれて紛糾し、憤って腹を切る者もあれば、一族郎党を引き連れて国を捨てる者ありで、まことに混乱の極みにある、というのが実情だ」

「なんと、二派に分かれて、というのではなく、三つ巴になっておるのですか」

話半分としても、容易ならざる事態ではないか、と勘兵衛には思えた。

「そのあたり、もう少し詳しく話してはもらえぬかな。そもそも、三つに分かれるとは、どういうことですか」

「つまり、昌親さまには、昌勝《まさかつ》さまという兄がいらっしゃる。その兄を飛び越えて、我が藩を相続するというのが、いかにもおかしい」

「昌勝……？　松平昌勝さまというと、松岡藩の……」

五万石の藩主である、ということくらいは勘兵衛も知っていた。

だが、所詮は他藩のこと、それほど詳しい事情を知っているわけではない。

三杉から根掘り葉掘りして聞き取っていって、ようやく福井藩の抱えている問題、というのが明確になってきた。

こういうことである。

福井藩先先代の松平忠昌《ただまさ》は、大野藩主・直良の兄にあたって、三人の息子がいた。

母親は三人とも異なって、正妻との間に生まれた子が光通である。

一方、側女《そばめ》が産んだ子は、まず昌勝といって、これは光通よりわずかに二ヶ月早く生まれている。もう一人が昌親で、これは昌勝や光通より四歳年下であった。

正保二年（一六四五）、忠昌が四十歳で没したとき、越前福井藩五十二万五千石は三人の息子たちに分封され、本体を嫡子の光通が十歳で受け継いで四十五万石、長男の昌勝は五万石で松岡藩を立て、三男の昌親は六歳にして二万五千石の吉江藩を立藩した。

ちなみに松岡藩は現在の福井県永平寺町、吉江藩は福井県鯖江市にあたる。

すっきり整理ができて、思わず勘兵衛は腕組みをしてしまった。

「なるほどなあ……」

（こりゃ、揉めるはずだ……）

先にも述べたとおり、松平光通はこの三月に自殺して果てた。三十九歳である。

本来であれば、その跡を継ぐのは唯一の男児、松平権蔵であるが、これは父から認知されることなく家老に預けられ、隠し子として育ってきた。しかも国を逃亡して、父の自殺の原因を作っている。

すると、腹違いではあるが、わずか二ヶ月早い兄の昌勝が、これを継いでも不思議はない。まだ三十九歳だから、年齢を理由に疎外されるいわれはなかった。

ただ、光通は遺書に後継者には昌親をと指名している。この一点で、昌親が襲封を果たしたのであった。

(光通というひと……)

なんとも人騒がせなひとだなあ、と勘兵衛は溜め息が出そうな想いであった。

三杉によれば、いま福井城下では、昌親か昌勝か、はたまた権蔵かと、揉めに揉めているそうな。

揉めても仕方のない状況を作ったのが、誰あろう光通なのであった。

それが、単に福井城下だけの問題ではすまなくなっている。なにしろ、火種のひとつである権蔵を、我が大野藩で抱え込んでしまっているのだ。

「三杉さん」

心を決して、勘兵衛は声を押し出した。

「うむ」

「もはや、当屋敷に権蔵さまがおられぬことはご承知でありましょうな」

「うすうすとは……」

三杉が、探るような目になった。

「すでに感づいておられると思うが、当屋敷は何者かによって見張られております」

「うむ、うむ……」

「それで権蔵さま他、同志の面面は、ひそかに他所へお移ししておりますが、三杉さんもまた、手だてを講じて、ここよりお連れ出しをしたい」

「そりゃありがたい。では、権蔵さまの許へ案内してくださるのだな」

三杉の顔が、ぱっと輝いた。

「そのつもりです。ただ、そのためには、三杉さんに、いくつかご協力を願わねばなりません」

「あいわかった。で、どのようにいたせばよいのか」

「まずは、近ぢかに、わたしか、あるいは代わりの者が参りますので、その者の指示に従っていただきたい」

「承知した。で、そののちは……」

「順順に、いきましょう。まずは、ここを出《い》でてのちのこと」

「ふむふむ」

「では、今しばらくの辛抱を願います」

言って、勘兵衛は立ち上がった。

すでに計画らしいものは、ぼんやりとかたちを整えはじめていた。
(やはり、あの手でいこう)
勘兵衛は小さくうなずき、さらに考えをこらした。
(あのときは、ちょうど愛宕権現の千日参りというのがあったが……)
松平権蔵を連れ出したときのことを考えている。
ふと勘兵衛は、今朝方に八次郎から聞いた幸坂甚内の例祭のことを思いだした。
するとすらすらと、手だてが湧き上がってきた。
(例祭は、たしか、この十二日であったな……)
あと五日しかない。
(よし、ちゃっちゃっと、すませるぞ)
やらねばならぬことは、山ほどある。
これからもやってくるかもしれない脱藩者に、多くの時間を割く暇はないのである。
(ふむ……)
その対応策も考えておかねばならぬ、と勘兵衛は思った。
(とりあえずは、三杉のことだ)
俄然、勘兵衛は忙しくなった。

2

それから二日が経った八月九日のこと――。

芝切り通しの新時鐘が四ツ（午前十時）を報らせるのと同時に、大野藩上屋敷の正門が開いた。

出てきたのは一挺の駕籠で、これに若党一人、槍持ち、挟み箱持ちの中間二人が付き添っている。

珍しい風景ではない。

大野藩の門番からして、留守居役の松田が気の張る御用で出かけるのであろう、と信じていた。駕籠も松田の、供の若党や中間も松田の奉公人たちであったからだ。

そのころ勘兵衛は、若党の八次郎とともに烏森《からすもり》稲荷の境内にいた。

幸橋の南方に位置するこの稲荷は、百足《むかで》退治で有名な俵藤太《たわらとうた》が戦勝を祈願したところ、というから、もう平安のころから続く古社である。

それが、周囲を武家屋敷に取り囲まれて、やけに細長く、鳥居と社殿がいかにも窮屈そうに建っていた。

そこへ四ツの鐘が届いてきて、

「うむ」

それが合図であったか、勘兵衛は八次郎と目を交わしたのち、

「では、まいるぞ」

「はい」

二人、社殿を背に細長く続く石畳を進んだ。進みながら、ともに用意の編み笠をかぶった。

右手は土岐長元《ときながもと》の、左手は池田采女《いけだうねめ》の屋敷塀で、それが尽きるところ、左右に走る道は稲荷小路と呼ばれる。

「では」

「はい」

短く声をかけ合い、勘兵衛は右に、八次郎は左にと袂を分かった。

土岐長元邸の隣りは、将軍家奥医師の吉田盛方院《よしだせいほういん》の屋敷で、広小路通りとの四つ角に建っている。そこを勘兵衛は右に曲がった。

突き当たりに兼房町《けんぼうちょう》があって、餅屋や菓子屋などの商家が並んでいる。町の北側は江戸城の外堀だ。

その突き当たりのところで足を止めた勘兵衛は、間口九尺の自身番屋の横手に立った。

そこは三叉路の要の位置で、東西に延びる通りと、いま勘兵衛が歩いてきた南北の広小路通りの両方を見通すことができる。

ちらりと東に目をやれば、つい先ほど烏森稲荷で別れた八次郎の背姿が見えた。やや小太りの身体を斜めにして、半分駆け足のように遠ざかっていく。

(そう急がずともよいに……)

勘兵衛は、右手で上げた編み笠の下で、思わず微笑んだ。

人待ちでもしているような風情で、勘兵衛は西を向いて待つ。

(きた……!)

愛宕下通りから、一挺の駕籠が現われた。

供の一人は、遠目にも松田の若党と判別できた。八次郎の兄で、新高八郎太である。

(ここまでは、順調のようだ……)

勘兵衛は改めて気を引き締め、次に南を望んだ。

まっすぐ延びる広小路通りは、先で増上寺の塀に突き当たる。その間、大名屋敷が建ち並んでいることから、愛宕下大名小路とも呼ばれる道であった。

目をこらしたが、これといって、怪しい人影は見あたらない。

再び視線を西に転じる。

松田の駕籠は、よほど近づいたが、勘兵衛が探っているのは駕籠の後方であった。

尾行する者がいないかどうか、を確かめているのだ。

すでに読者はお気づきと思うが、駕籠の中は松田ではなく、福井から脱藩してきた三杉堅太郎である。

その三杉を屋敷から駕籠で出し、木挽町《こびきちょう》七丁目の七丁河岸に用意の舟に移そう、という計画であった。

この方法は、松平権蔵のときにも使った。

あのときは、一度に四人を移す必要があったため苦労したが、今回は三杉一人だけなので松田の駕籠を使うことにしたのである。

これに尾行がつくようなら、それを食い止めねばならぬ、と覚悟していたが、今のところその気配はない。留守居役の駕籠、という粉飾だけで、まんまと見張りの目はごまかせたようだ。

すでに駕籠は眼前に迫り、新高八郎太が笑いかけてきた。それに目配せだけを返し、勘兵衛はなお愛宕下通りの方面や、大名小路の動向に注意を配った。

やはり怪しい人影は見いだせぬ。

勘兵衛の前を通り過ぎた駕籠が、幸町を越え、次手町に入るのを見届けてから、勘兵衛は駕籠のあとを追った。

途中、幾度か後方を確かめながら汐留橋を渡ると、すでに駕籠から出た三杉が八次郎の手引きで、木挽町七丁目の河岸につけた小舟に乗り込むところであった。

屋形船を選ばなかったのは、人数が少ないこともあったが、朝の内から屋形船というのが、かえって怪しまれるおそれがあったからだ。

だから三杉も八次郎も、そして勘兵衛も編み笠で顔を隠している。

「手間をとらせて、悪かったな」

「なんの、うまく運びましたようで……」

新高八郎太が答えたのに、

「おかげでな。あとは適当に時間をつぶしてから屋敷に戻ってくれ」

「承知しております」

「では、な」

勘兵衛は身軽に舟に飛び乗ると、

「じゃ、船頭さん、舟を出してくれ」

「へい。行き先は小網町あたりと聞いておりやすが」

「うん。末広河岸あたりへ着けてくれ。それからこれは少ないが、酒手にでもしてくれ」

用意の小粒を握らせた。

「こりゃどうも……。へい、お急ぎですかい」

「いや。特に急ぎはせぬ。ゆっくりとやってくれ」

言いながら、勘兵衛は、まだ注意深く舟が岸を離れるまで、追跡者の影がないかを確かめていた。

3

木挽橋手前の右岸は、付近で一番賑わいを見せるところだ。

大芝居の山村座もあれば、土佐の操り芝居小屋や芝居茶屋が建ち並ぶ。

その賑わいを右に見ながら行く舟が三原橋をくぐるころ、勘兵衛は陸《おか》への注意を解いた。

（尾行する者はいない）

ようやく、そう確信が持てたのである。

そこで編み笠を脱いだ。舟は水面を滑るように進み、川風が心地よく頬を撫でていく。

それを見て、三杉も八次郎も同じようにした。

「行き先は小網町と言われたな」

ここまで無言できた三杉が尋ねてきた。その表情には安堵の色が浮かんでいた。

「さよう。これから、さるところに案内いたすが、かまえて、ご注意願いたいことがある」

「なんでござろう」

勘兵衛のことばがいかめしかったせいもあって、三杉の表情が固くなった。

「今朝方も申したことだが、三杉さんの身上、そのほかについては、相手が誰なりと一切を秘匿してもらわねばならぬ」

「おう、それなら承知したはずだ」

勘兵衛は、烏森神社にて八次郎と落ち合う前に、きょうの段取りを三杉に伝え、松平権蔵の一件は、秘中の秘であることを伝えておいた。

だが、福井の城下町においては、そんなことは誰でも知っているらしい。この江戸で、そんな感覚でおられれば、つい口も軽くなるだろう、と勘兵衛には心配なのだ。

「ですから念を押しているのです。これからある割元に三杉さんを預かってもらいますが、そのお方にも詳しい事情は、何ひとつ伝えておりません。それに……」

勘兵衛は、八次郎に目を向けたあと、

「これは、わたしの若党で新高八次郎というものですが、この者とて、あなたが何者で、どのような事情で、などなど、一切を教えてはおりません」

言うと、八次郎は、それがいかにも不服だといった表情で大きくうなずいた。

それに対して三杉は、

「ふむ。さようか」

少しばかり、いぶかったような口調になった。

「というより、三杉さんがいずこより、なんのためにこの江戸に出てきたか、それを知っているのは江戸家老に、江戸留守居の他は拙者のみ。このことを十分に理解されたい」

「そうなのか」

「そうです。事態は、たぶん、三杉さんが考えているより、はるかに厄介なこと。この江戸は日本全国の大名家が集まり、また幕閣もあるところ。人の口に戸は立てられぬと言うが、うっかりしたことを漏らしでもしたら、噂はたちまち広がって、最悪の場合は、我が藩がお取りつぶしにもなろうかという重大事だ、と心得ていただきたい」

「むう……」

少少、脅しすぎかな、と勘兵衛は思わぬではなかったが、これくらい言っておかねば、どうにも危なっかしくて仕方がない。

大名屋敷の内のことは、漏れそうにないように見えて案外漏れやすい。それで勘兵衛は、これほど気を遣っているのである。

おかげで三杉は神妙な面持ちになった。

三杉ばかりか、八次郎までが真ん丸な目になっている。御家《おいえ》が改易されるような重大事、と聞いたからであろう。

だが、ぎりぎりのところまで、八次郎にも秘密を明かせぬ、と勘兵衛は思っている。なにしろまだ十六だから、こちらの口だって危なっかしいのだ。

「ところで、だが……」

声までが神妙に変わって、三杉が言った。

「拙者を、割元に預けると言われるが、それからどうなろうな」

「さよう。これを見られよ」

勘兵衛は懐から用意の半紙を取り出し、

「声には出されるな」

言って三杉に示した。船頭の耳に届かぬようにとの用心であった。

そこには勘兵衛の手で、

〈十二日正午、浅草猿屋町、幸坂甚内社〉

と書かれている。

「これは……？」

首をかしげる三杉の横で、早くも半紙を盗み読んだ八次郎が、いかにも嬉しそうな顔になっている。

「さよう、明明後日《しあさって》の正午に、そこで落ち合おうということです。その場所には、これから行く先の家の者が案内してくれることになっています」

「それで……」

「そのときには、念願のお方にも会えるはずです」

「おお、そうか」

今度こそほんとうに安堵したか、三杉は目を輝かせた。

三十間堀を進む舟は八丁堀と交差して楓川《もみじがわ》に入り、やがて霊岸島新堀（とうかん堀）と交わる。

土手の柳の緑陰を慕うように、勘兵衛たちを乗せた舟は、紀伊国橋《きのくにばし》をくぐると鍵型に運河をめぐり、八丁堀を横切っていった。

勘兵衛が船頭に命じた末広河岸は、楓川が霊岸島新堀と交わった先の蔵地河岸である。小網町一丁目だ。

三杉を預ける割元とは、葭町の［千束屋］政次郎のことである。

堀江六軒町の親仁橋《おやじばし》袂に舟を着ければ、［千束屋］は指呼《しこ》の距離である。それを勘兵衛は末広河岸に着けさせたあと、わざわざ思案橋を渡って小網町二丁目横町に入り、目的地よりひと筋南の大坂町を通って、という遠まわりの道を選んだ。

その間に――。

はたして尾行者の影はないか、を確かめるためだ。

どこまでも慎重な勘兵衛なのであった。

ちなみに思案橋は、正式の名を荒布橋《あらめばし》というのだが、明暦の大火まではこのあたりが吉原で、悪所通いの客が行こうか行くまいかと思案したところから、そう呼ばれるはじめたそうである。

4

越前大野の城下町に、今しも夕暮れが訪れようとしていた。

飯降山《いふりやま》に隠れようとする夕陽が、ここ七間町の旅籠［山車《やまぐるま》］の二階から望まれ、裏の庭木で鳴く蜩《ひぐらし》の声が届いてくる。

「おう、良い風じゃ」

西に面した小部屋で、小泉長蔵が機嫌の良い声を出した。

格子窓ごしに入ってくる夕陽に赤く染まっている顔は長く、面長というより、馬面といったほうが似つかわしい。

「まことに……、すでに白露《はくろ》も過ぎて、ずいぶんと涼しゅうなりましたな」

長蔵におもねるように、今にも揉み手でもしそうなくらい、顔いっぱいに笑みを広げているのは、丹生文左衛門《ぶんざえもん》であった。丹生新吾の父親である。

「こたびは、ことがうまく運びましたそうで、まことにおめでとうございます」

「おう、ようやく、な。最後まで冷や冷やさせられたわ」

「やはり、反対がございましたか」

「おう、塩川に伊波らが、まだ早かろう、とごねよったそうだ。しかし、なに、こちらには大名分の津田さまがついておる。それに殿もとうに了承されたことだ。重役たちも、それには逆らえまい」

「なには、ともあれ、よろしゅうございました。こう申しては差し障りがございましょうが、殿におかれては、もうご高齢ゆえ、直明さまの時代も近うございましょう」

大野藩主の松平直良は、すでに七十一歳であった。

普通ならとっくに隠居をしている年齢だが、嫡男の直明は遅くにできた子で、まだ十九歳でしかない。それでも英明ならば話は変わろうが、跡継ぎは素行も悪く、とても安心して家督を譲れない、という事情がある。

「うむ、そこが付け目よ」

長蔵の長い面がゆがんだ。笑ったらしい。

「せいぜい、若殿さまの気に入られて、次に御入国の折には、御家老さま、というのを期待しておりますぞ」

〈御家老さま〉に力をこめて、丹生が言う。

「もとより、それが狙いじゃからな。なに、直明さまに気に入られるなどは簡単なことよ。なにしろ、逆らわずに立てておくだけで機嫌がよい、というバカ殿らしいから、せいぜいヨイショをして、どんな気儘八百《きままはっぴゃく》にもつきあってやろうぞ」

「大願成就の折には、どうか、わたくしどものこともお忘れなきように、お願いいたしますよ」

「わかっておる。それより、どうじゃ。伜のほうからは、なにも言ってはこぬか」

「はい、はい、そのことでございます……」

舌なめずりでもしそうになった丹生だが、ふと口を閉じた。

表に、足音が聞こえたからだ。

「ごめんくださいまし……」

廊下からの声に、

「おう、いいぞ」

小泉長蔵が銅鑼声を張り上げると襖が開き、旅籠の番頭が膝をついて顔を覗かせた。

「こおろぎ町の、お姐《ねえ》さん方が着きましたが、どういたしましょう」

「そうか。おいおい客たちもやってこよう。すべてが揃ってからのことだ。それまで、茶でも出して待ってもらっておいてくれ」

「承知しました。そうさせていただきます」

頭を下げると、番頭は姿を消した。

大野の城下町には、三番上町から横町通りにかけて料理屋や居酒屋が軒を連ねる一画がある。そこには芸妓たちが住みついて、夜な夜な三味線を弾いたり歌を歌ったりで、そこから〈こおろぎ町〉と呼ばれていた。

長蔵の亡父は譜代の家老であったが、罪を得て無役となった。その割を食って、長蔵もまた家督を継ぎながら無役のままであった。

本来なら、家督相続と同時に家老職につくはずだったから、それはもう悔しい思いをしたものだ。

そこで妻の実家を動かして猟官活動をした結果、晴れて江戸にいる若殿の付家老という人事が正式に決まった。

そこで今夜、この［山車］を借りきって、祝宴を張ろうというのであった。

再び二人きりになって、丹生が話を続ける。

「実は、伜よりの到来物がございましてな。今宵の祝宴の、なによりの贈り物と思っていただければ幸いなのですが……」

「それは楽しみな。で、いったい、なんじゃ」

「はい、まずは、我が伜が、さきごろ直明さま付きの小姓組頭になりましたこと」

「なに、それは真《まこと》か。そなたの伜……いや、新吾が小姓組頭となったと言うか」

「はい。そう報せてまいりました」

「いや、それは、重畳……。すると……。伊波の小せがれのほうは、どういうことになったのだ」

「はい。それでございますよ。詳しいいきさつまではわかりかねますが、伊波利三めは、自ら辞職を願い出て、近くこちらへ戻されることになるそうですぞ。もちろん、我が新吾が、裏で工作を進めた結果でございますが」

「なるほど、それは良き土産じゃ。いや、でかした。でかした」

長蔵は手放しで喜んだ。

家老職を取り上げられた長蔵の父、小泉権大夫の処分は、五十日の閉門と三百石の減俸というものであった。そして閉門中に急死している。

藩庁には病による急死と届けたが、あれは毒殺であったにちがいない、と長蔵は信じていた。

誰もその顔を知らぬが、大野藩には服部源次右衛門《はっとりげんじえもん》という手練《てだ》れの忍び目付がいる、と父から聞いたことがある。たぶん、その者の仕業であろうと長蔵は思った。

すると……と、およそ一年前、父の葬儀を終えたあとに長蔵は考えた。

父の毒殺を命じた者は誰か……、答えはひとつしかない。藩主の松平直良だ。

その直良が木本藩主となったのは二十一歳、今より五十年前のことである。

そのとき本貫の福井藩より付けられた家老が長蔵の祖父であり、その跡を父が継いだのである。

そのような譜代の者を、毒殺せよと命じたくらい、藩主の怒りは深かったことになる。本来なら切腹を命じたかったところであろうが、それをやると国許での騒ぎが幕府に届いて、咎めを蒙《こうむ》るおそれがあった。

つまりは――。

この小泉の家が、再び家老として返り咲く機会はない、ということか……。

いや、まるで方策がないわけではない。

熟慮の結果、長蔵は、ひとつの光明を探り当てた。

それが若殿の付家老におさまることであった。

さすれば、いずれ若殿が藩を襲封するとき、心太《ところてん》式に再起が可能ではないか。

そして、その日から長蔵の工作がはじまったのである。

だが、頭痛の種がひとつあった。

直明の近習たちである。

たとえ直明の付家老になれたとしても、近習たちに直明を固められてしまえば、直明の関心を買うことはできない。まずは近習たちを懐柔できるかどうかに、ことの成否はかかっていた。

しかし直明の小姓組頭は伊波利三で、これは父の追い落としに関わった奏者番、伊波仙右衛門の伜であった。

(なんとか、伊波利三を排除できぬものか……)

考えに考えたあげくに長蔵が白羽の矢を立てたのが、丹生文左衛門であった。

第一に、その伜が直明の付小姓であったこと。

第二に、丹生文左衛門が現在の処遇に不満を抱いているらしいことであった。

文左衛門は、物頭二百石の家の長男として生まれたが、あいにくながら妾の子であった。

それでも、なにごともなければ家を継げたはずなのに、やがて父の正妻が病没して再婚したのちに嫡男が生まれた。

つまりは腹違いの弟が嫡男ということで、文左衛門は父の家禄の内から五十石を分割されて分家となったのである。

その不満に、長蔵は目をつけた。

（もし、俺が家老に返り咲いたときには……）

出世をちらつかせて、丹生文左衛門を取りこんだものだ。

もちろん江戸の丹生新吾には、父の文左衛門からひそかな指示が送られたであろうことは、想像に難くない。

「いや、でかしたぞ」

小泉長蔵は、もう一度、叫ぶように言った。

（こう、なにもかもがうまくいくとは……。さては、親父どのの加護であろうか）

つい数日前に、父の一周忌法要を済ませたばかりの長蔵は、そんなことを思った。

5

さて、八月十二日がやってきた。

三杉との約束の日である。

この日、猿屋町の町宿に勘兵衛を最初に訪ねてきたのは、魚屋の仁助であった。

「えらく早いが、なにかあったか」

まだ五ツ（午前八時）前であった。

棒手振《ぼてぶり》の魚屋は鮮度が命だから、商売も午前中が勝負どきだが、それにしても早い。

「いえ、それが……」

仁助が挨拶を申したいと言っております、と勘兵衛に伝えにきた八次郎が、今にもよだれを垂らしそうな顔で、

「それは、もう、立派な秋鯖を持参してきておるのですよ」

「ほう。しかし、いったいなんの挨拶だ」

「さて……？」

首をかしげる八次郎である。

（秋鯖とな……？）

故郷の越前大野では、半夏生《はんげしょう》の日に焼き鯖を一本食うのが習わしであったが、山国ゆえの悲しさで、勘兵衛はまだ秋鯖どころか、生の鯖さえ見たことがない。

で、玄関まで出て驚いた。

仁助が縞物に角帯を締め、羽織姿でかしこまっていたからだ。

鯔背銀杏《いなせいちょう》の髷さえなければ、小商いの旦那にも見えようという姿で、

「これは落合さま」

腰を折った背後には大きな風呂敷包みを下げた娘がいて、仁助に合わせて頭を下げ

てきた。その顔に、見覚えがある。

「やあ、そなたは……」

六月のことだが、仁助は生家の金杉村に行った帰りに盗賊たちに出くわし、背後から斬られて池に落ちた。

幸い、古鎌を背負っていたから命拾いしたが、勘兵衛が見舞いに出かけたところ、長屋で仁助の世話をしている娘と出会った。

(たしか、近くの茶碗屋で下働きをしているという……)

「はい。その節は……。どうも……。お秀《ひで》でございます」

「お、そうであったな」

以前に会ったときは、さんざんに水をくぐったような藍微塵《あいみじん》に前垂れといった、いかにも下女ふうの服装だったのが、きょうは小菊模様を散らした小袖で、顔には化粧すら施している。

(さて……？)

式台の上には、松葉を敷き詰めた盥に一尺二、三寸はあろうかという、まるまると太った鯖が横たわっている。その隣りには朱塗りの角樽《つのだる》までが添えられていた。

それを見て、勘兵衛は、

「ところで、こりゃ、どうした。なんの祝儀だ」

角樽の酒といえば、祝いとしか思えない。

「へい。きょうは御礼を兼ねまして、かくご挨拶に参上いたしました。実はきのうのことでございますが、火盗改めの岡野さまより過分のご褒美をいただきやしたので……。へい。で、その……、お聞きしましたところ、落合さまのお口添えがありましたよし、ほんとうにありがとうございます」

「待て待て。口添えなどはしていないぞ。ただ、うむ、悪党どもも根絶やしになったと聞いたものでな。それなら、もう、おまえの名を出しても安全であろう、と思っただけのことだ」

「はい。おかげさまで、銀五枚という大枚のご褒美をいただきました。これは、ま、そのお裾分けと思ってくださいまし」

「ほう、そうなのか。では遠慮なく、志をいただいておこう。それにしても、立派な鯖だな」

答えながら勘兵衛は、どうにもおかしかった。

威勢と啖呵《たんか》が売り物の魚屋が、羽織を着たとたん、すっかり商人ふうのことばつきに変わっていたからだ。

「へい。この季節は、どうもむずかしゅうございまして。秋冷を迎え白身魚も味が落ち、鯛やヒラメも、あとしばらくは、もうひとつという時期でごぜえやす。が、逆に青肌の魚は秋風とともに脂が乗って、なかでもこの秋鯖などは絶品で……。へい、それも、富津《ふっつ》沖で夜明け前に獲れたという、へえ、お墨付きをお持ちいたしやした」

「ほう」

と感心したような声は出したが、勘兵衛としては、そんなものか、と思うだけだ。

ただ、不思議なことに目の前の秋鯖が、いかにも値打ちがありそうにも思えてきた。

岡野成明から出た褒美は銀五枚。その銀とは丁銀のことで、四十三匁の重さがある。

このころの相場で、銀五十匁が一両であったから、四両ちょっとの値打ちになる。

「で、こいつですが、どういたしやしょう」

仁助にかぎらず棒手振の魚屋は、客の好みに合わせて、その場で調理をしてくれる。

だが、どうするかと言われても勘兵衛がこれまでに口にした鯖と言えば、口から竹串を通して、まるまる一本を焼き上げた焼き鯖しかないのである。

「どうすれば、うまいかな」

「塩焼、味噌煮もいけますが、やはり、締め鯖でござんしょう」

「おう、じゃ、そうしてもらおうか」

シメサバというのは聞いたことがあるぞ、と勘兵衛は思った。

「では、台所をお借りして、締めさせてもらいましょうか」

「ふむ。締める、というのはどうやるんだ」

まさか、両手で魚の首を絞める、というのでもあるまい。なんにでも興味のある勘兵衛だった。

「なに、簡単なことでさあ。こいつを三枚に下ろして手早く水洗いをしやす」

「ふむ」

それから塩水をくぐらせ、水気を拭ったあと笊《ざる》に並べて、たっぷりの塩を振る。これを塩締めというそうで、身の厚みによって締め加減が変わる。

「こいつだと、およそ一刻ほどかけたほうがようございましょう。あとは酢洗いをして、昆布を浸し柚《ゆず》を絞り込んだ合わせ酢に、ほんの四半刻の半分（十五分）ほどもつけ込めば、一丁上がりでさあ」

「ほう、そりゃ、えらい手間ではないか」

「なんの。きょうは、はなからそのつもりで、こうして道具や材料も揃えてきておりやす」

お秀のぶら下げている風呂敷包みが、それらしい。

「そうか。では、手が空いたら座敷のほうに来られよ」

「ありがとうございます。いえ、ほかにも、その、落合さまに、聞いていただきたいこともございまして……」

「ほう、なんであろう」

「いや、それはのちほど……ゆっくりと」

言う仁助の後ろで、お秀がなんだかもじもじとしたあげく、肩で仁助の背を叩くような仕草をした。

なんだか、ほんわかとした感じだな、と思いながら勘兵衛は、二人を台所に案内し終わった八次郎を呼んだ。

「[高砂屋]で菓子でも買ってきてくれ。あとで、比企さんも来られるから、少し多めにな」

御厩河岸《おうまやがし》

1

魚屋の仁助と入れ替わりのように、比企藤四郎がやってきた。

「ずいぶんと、早かったですね」

三杉と約束した正午まで、まだ一刻近くもある。

「そうなのだ。ここまで歩いてくるつもりが、途中の横川で顔見知りの舟に乗せてもらったら、あっという間に着いてしまった」

「そうでしたか」

比企は向島の押上《おしあげ》村、というところからきた。このころ大川に架かる橋は両国橋ひとつきりだから、渡し舟を使わねば、かなりの回り道になるのだった。

ちなみに橋の通行料も舟の渡し賃も、一人が二文と決まっている。ただし、武士は無料である。

時間がかかることを厭《いと》わず、あえて比企が徒歩を選ぼうとしたのは、彼が脱藩者であるからで、用心のためであろう。

陸路ならば、いざというとき逃げ道があるが、乗り合いの渡し舟なら水に飛び込む以外に退路がない、ということだ。

押上村には［千束屋］の隠し寮があって、そこに近ごろ［火風流道場］というのができた。死んだ火風斎の娘婿である新保龍興《しんぽたつおき》が道場主になっていた。

だが、それは仮の姿で、実は松平権蔵をはじめとする一派の隠れ蓑である。

先日、勘兵衛はその［火風流道場］に行き、三杉のことを問い合わせている。

すると、

――おう。三杉堅太郎なら顔見知りだ。

そう答えたのが比企であり、権蔵はというと、

――うむ。その名に身共も覚えがある。そうか。また一人、きてくれたか。

勘兵衛たちの苦労も知らず、満悦の体《てい》であった。

そして、きょう、三杉を比企が迎えにきたのである。

「おや、どなたか客だったのか」

座敷に通った比企は、仁助たちに出した茶菓を八次郎が片づけているのを見て言った。

「はあ。出入りの魚屋でして」

「魚屋？」

怪訝そうな声を出した。

「あの、棒手振のか？」

出入りの魚屋にまで茶菓を出すのか、といった顔つきであった。

比企はわずかな期間だが、ここに居候をしていたことがある。それで仁助を見知ったのであろう。

「そう、仁助という者ですが……。実は、病に倒れていた百笑《どうめき》さんを、最初に助けようとしていたのが、あの仁助でして」

「ほう」

比企が居候するより早く、百笑火風斎は孫の龍平《りゅうへい》とともに、この家の厄介になっていた。その龍平は、新保龍興の息子である。

「それに……」

押上村に松平権蔵一派の隠れ家を作るにあたっては、［千束屋］の協力が不可欠であった。

ところが［千束屋］を目の敵にする破落戸《ごろつき》の一家があって、それが計画の支障となっていた。

「今だから話せることですが……」

勘兵衛は、その間の事情を比企に話して聞かせた。

「それは一向に知らなんだ。いや、知らぬ間に、我らは、いろんな人たちの恩義に与《あず》かっておるのだな」

「なんの。恩義だとか、そういったことを気にされることはないのです。ただね、きようは、その仁助が娘さんを連れてきたものですからね」

勘兵衛の内には、ほっこり温かな気分が、まだたゆたっている。

「娘を……か」

「そうなんです。二人は、近く世帯を持つそうでして……」

「ほう、そりゃ、めでたいことだな」

「そればかりじゃない。世帯を持ったのを機に、仁助は店を構えることにしたそうですよ」

「おう。さては先ほど聞いた、銀五枚の褒美を元手にするつもりだな」

「ま、それだけでは足りぬでしょうが、互いの貯えを加えれば、なんとかなると言っておりました」

店の場所すら、まだ決まってはいない。

ただ、店の名は［銀五］とするそうだ。

「ハハ……、銀五枚がはじまりだから［銀五］か。そりゃ愉快ではないか」

比企も笑った。

仁助とお秀は、いずれ、ささやかな祝言を挙げるつもりだから、その折には、ぜひ勘兵衛にも顔を出してくれと言って、帰っていったのである。

「ところで道場のほうも、いくらか門弟がきはじめたようですね」

過日［火風流道場］を覗いたところ、何人かの少年たちが、新保に稽古をつけてもらっていた。内には、新保の息子の龍平も混じっている。

「ああ、あれには驚いた。お披露目など一切せぬのに、いつの間にか南割下水あたりからな。月謝が安いのが評判を呼んだらしく、あっという間に増えてしまった。新保さん一人で手に余るときは、拙者も手伝っておるのだが……」

南割下水あたりは、小禄の旗本や貧乏御家人たちが多く住んでいる。

近所に道場ができて、しかも安いと知って子弟を通わせはじめたのだろう。

(隠れ蓑としては、絶好の状況だな……)

と勘兵衛は思った。

「ところで、藤次郎どのは、どうしてござるか」

比企が話題を変えてきた。

比企と最初に知り合ったのは、勘兵衛の弟である藤次郎のほうであった。

「さて……」

勘兵衛は首をかしげて見せたのち、

「しばらく会っておりませんが、元気でやっておることでしょう」

「ふむ。同じ江戸におりながらのう」

「新規にお召し抱えになったばかりで、なにかと忙しいのでしょう」

「それは、ま、そうであろうな」

実は大和郡山本藩に召し抱えられ、目付見習の役を得た藤次郎は、すでに大和郡山へ入っているはずだった。

弟は弟で秘命を帯びた旅のはずだから、勘兵衛の口は固い。それで比企は、藤次郎がまだ江戸にいるものと思い込んでいるのであった。

便りがないのは良い便り、とか、無事に便りなし、ともいう。

それで心配はしていないが、

(無事であれ)

と願う勘兵衛である。

八次郎が出した茶菓をつまみながら、しばらく雑談をしていた二人だが、

「そろそろかな」

「そうですね。まいりましょうか」

八次郎を加えた三人で町宿を出た。

長屋を抜け木戸を出ると、

「おう、ずいぶんと人出があるものだ」

比企が驚いた声を出す。

「これが、みな、幸坂甚内とやらの瘧神《おこりがみ》への参詣の客か」

「そのようですね」

答える勘兵衛にしてから、ここに住んでまだ半年だから、はじめてのことなのであった。

六月にあった鳥越明神の祭礼の賑わいほどではないが、普段はひっそりしている裏

道が人で埋まっていた。

例祭の日、本多長門守の屋敷の門が参詣客に開放されるのは、四ツ半（午前十一時）から八ツ半（午後三時）の間だそうだから、勘兵衛と比企が雑談をしている間に、人出が増えてきたのであろう。

「では、手はずどおりにな」

「はい」

勘兵衛が言うと八次郎は、いかにも張り切った様子で右手の本多屋敷のほうへ向かう人混みに紛れ込んだ。

一方、勘兵衛たちは、それとは逆に諸国酒問屋の［常陸屋権兵衛］店の前を通って天王町のほうへ向かった。

2

猿屋町の片側町を東へ進むと、右手に閻魔堂の横壁、左に二軒の旗本屋敷があって、すぐに天王町の両側町に入る。

目前に左右する大道は蔵前通りで、いつも往来が繁華なところであった。大川べりには、二万七千坪を超えるという広大な土地に、巨大な米蔵がずらりと、他を圧するように建ち並んでいる。

陽はすでに中天高く昇りつめようとしており、空には鱗雲がたなびいていた。

米蔵も殷賑の地に建ち並ぶ商家も短い影を落とし、太陽は、あまねく道を照らしている。

「この道は、たしか浅草への道でしたな」

短い影を従えて、勘兵衛とともに北へ歩みながら比企が言った。

「浅草寺も近うござる。もう行かれましたか」

「いや、なかなかに気持ちの余裕がなくてな」

「そうですか。屋台店なども多く出て、なかなか賑やかなところです。たまには気晴らしに、ご見物にでも出かけられたらいかがでしょう」

「そうしたいところだがな。ところで……」

「………」

次のことばを待ったが、比企は、なぜか言いよどんでいる。

「なんでしょうか」

鳥越橋を渡りながら尋ねると、

「いや、その……、なんだ、新吉原へも、この道を行くのであろう」

「はい、そうですが……、押上村からだと、むしろ竹屋の渡しで山谷堀あたりまで渡られたほうが近いのではありませんか」

笑いを噛み殺しながら答えた勘兵衛に、

「それは、そうなのだろうが、ええと、落合どのは、行かれたことがあるか」

「いや……、それは、まだ……」

興味がないではなかったが、勘兵衛には、それこそ気持ちの余裕がなかった。なにより小夜を知るまで、男女のことに、ごく未熟な若者であったのだ。

「そうなのか」

ぽつりと答えた比企の横顔を、勘兵衛は盗み見た。

鷲鼻の下で、比企は少し唇を尖らせていた。

二十六歳だという以外、あまり自分のことを語らぬ比企は、男臭い風貌を持っている。

その横顔の向こうに、大六天《だいろくてん》の祠《ほこら》が見えた。

このあたり、浅草寺への参道にあたるから、道は塵ひとつないように掃き清められている。そんな町中でただひとつ、この祠の周囲だけ塵芥が溜まっているにはわけがある。

大六天は欲界の最上位にある天魔とされて、ひとの楽しみを自分の楽しみに自在に変える力を持っているという。一方、自分の周囲を掃き清められたり片付けたりされると祟《たた》る、という厄介な仏で、別名を〈散らかしさま〉とも呼ばれている。

(色欲か……)

たまたまの暗合に、勘兵衛が、ふとそんな連想をしていると——。

「あ、いや。誤解なきように言っておくが、わしが行きたいために、そんなことを尋ねたのではないぞ」

勘兵衛の視線に気づいたか、比企はあわてたふうに言い、続けた。

「いや、実は若殿がな……」

「権蔵さま……、がですか」

「さよう。吉原で遊んでみたいと、再三、おっしゃってな」

(小童《こわっぱ》が、色気づいたか)

勘兵衛が少し不愉快に思っていると、

「故郷でも軟禁同様であられたし、この江戸にこられてからも逼塞同然で、かなり鬱屈しておられるようじゃ。無理もない、おいたわしいかぎりだと思うし、なんとかして差し上げたい、とも思うのだが……」

（ふうむ……）

そう言われれば、たしかにそうかもしれぬ、と勘兵衛も思った。

福井でのことはいざ知らず、十七歳という元気ざかりが、一年近くも大野藩江戸屋敷内に匿われて、話し相手もなく、一歩も外へ出られずに過ごしていたのだ。

改めて、気の毒なことだと思い直した。

（そして、今……）

押上村の百姓地で、ようやく臣下らしい数人と生活をともにすることができるようになったのだが、諸諸の事情から、まだまだ気儘勝手には振る舞えずにいる。

（やはり、つらかろうな）

自分の立場のことばかり考え、これまで権蔵に、あまり良い印象を持たなかったことを少し反省する勘兵衛だった。

「どうで、あろうな」

「は……？」

比企に重ねられて、勘兵衛は困った。

「いや、どうかと言われても、返事はいたしかねます。まるで知らぬところゆえに案内をするわけにもいかぬし……」

「いや、そこまで、ご迷惑をかけるつもりはない」

「わかっています。しかしですね。こう言ってはなんでしょうが、皆皆さまのことを、我らが見張っているわけでもなし、これはいかん、あれもいかんと指図をしているわけでもなし。さすれば、皆さまが魚釣りに興じようと、どこぞに名所見物に行かれようと、それは我らのあずかり知らぬことでは、ないでしょうか」

「やあ、それは、そうでござったな」

見て見ぬふりをする、という言外の意を汲んだか、比企の声が明るくなった。

（ただし、人目を引かぬよう、十分に注意してくださいよ）

と出そうになることばを、言わずもがなのことだ、と勘兵衛は飲み込んだ。

勘兵衛や大野藩の立場を十分に理解しているからこそ比企は、このような断わりをわざわざ入れてきたのであろう、と思ったのだ。

「次の角を曲がれば、御厩《おうまや》河岸です」

ずっと続いてきた御米蔵も、そろそろ、はずれに近い。札差や両替商が建ち並ぶ旅龍町も、やがて尽きようとしていた。

3

・御厩河岸のあたりは黒船町といって、その昔、徳川家康に招聘された三浦按針《みうらあんじん》（ウィリアム・アダムス）が、このあたりに黒船リーフデ号を係留したことから、その名があるらしい。

ところで、正午に幸坂甚内社でと三杉堅太郎と約束したはずの勘兵衛が、なぜここへやってきたかというと——。

勘兵衛は三杉に対する用心を、まだ解いていなかったからである。

三杉については、比企が顔見知りだと言い、権蔵もまた、覚えのある名だと答えた。

そこで勘兵衛が三杉の容貌を伝えたところ、ほぼまちがいはあるまい、ということになった。

しかしながら勘兵衛は、それだけでは安心しなかった。

あの三杉が、その名を騙《かた》った諜者、あるいは刺客ということも考えられるからだ。

そこで比企にひそかに首実検をさせよう、という計画を立てたのである。

三杉を預けている［千束屋］には、約束の場所への道筋に、まずは舟で御厩河岸へ着け、そこから閻魔堂横道を通って案内するように、と頼んでおいた。

「まだのようですね」

旅籠町の木戸から、注意深く大川へ続く道を様子見したあと、勘兵衛たちは、ゆっくりした足取りで進んだ。

大川へ切れ込む道は、およそ一町ほど、右手には小さな堀があり、左手に並ぶのは武家屋敷だ。

行き止まりの河岸には、向こう岸の本庄（のちの本所）石原町とを結ぶ渡し〈文殊院渡し〉（のちの御厩河岸渡し）があって、ちょうど渡し舟が岸を離れていこうとするところであった。

いよいよ高くなった日輪に、大川の水が弾けるような光の粒をまき散らし、上下する舟が蹴立てる波が、きら、きら、と光の箭《や》を放つ。

勘兵衛は片手をかざして下流を注視したが、行き来する舟は、あまりに多い。一番堀から八番堀まである浅草御蔵の船着き場へも、俵物を積んだ荷足舟《にたりぶね》が次つぎと着くのだ。

「良い天気じゃ」

勘兵衛の横で、比企は両手を挙げて伸びをしている。

やはり、まだ三杉は到着していない、と踏んだ勘兵衛が、

「では打ち合わせどおりに、大師堂のほうで待ちましょうか」

「うむ。そうしよう」

互いにうなずき合い、二人は川端を離れた。

蔵前通りに戻る最初の右角には石井喜平次《いしいきへいじ》の屋敷があって、これは代代、御厩奉行を務める家だ。屋敷の続きには御馬屋があって、そこで将軍家の馬を飼育している。

このあたりを御厩河岸と呼ぶのは、そのためだった。

さて勘兵衛たちが向かう大師堂は、ちょうど山門から、この河岸への道を見通すことができる。

大師堂文殊院は高野山行人方《ぎょうにんかた》の寺で、本尊は矜伽羅《こんから》、勢多迦《せいたか》の二童子を従えた不動明王である。まあ、それはことのついでで、寺こそ小ぶりだが高野山系だけあって、由緒正しい山門を持っている。

専門的には〈三間一戸の八脚門《はっきゃくもん》〉というのだが、これは一層であるけれど、主柱が四本、すなわち柱の間が三つあって、真ん中の部分に扉がある。さらにそれぞれの主柱の前後に二本ずつの支柱が配されて、それが八本、すなわち合計で十二本もの柱があるのであった。

要するに、柱が多い。

つまりは柱に隠れて、ひとを見張るのに適している、ということを説明したかった。

二人は待った。

不測の事態が起こった場合のことも、勘兵衛は考えていた。

もし、三杉を名乗ったあの男が諜者や刺客のたぐいなら、他にも仲間はいるはずで、なんらかの手だてで仲間に連絡《つなぎ》をとったことも考えられる。すると曲者たちは、幸坂甚内社へ先回りをするだろう。

三杉のほうも［千束屋］の案内を断わり、直接に甚内社へ向かうかもしれない。

勘兵衛は、万が一の事態も視野に入れ、八次郎を先に幸坂甚内社へ向かわせたのだ。

――そのときには、念願のお方にも会えるはずです。

三十間堀を舟で行く際、勘兵衛が三杉を名乗る男に言ったのは、権蔵もまた甚内社にやってくる、と思わせるためだ。罠である。

もし相手が三杉を騙《かた》る曲者だったら、その機会を捉えて、一気に権蔵を討ち取ろうとするかもしれなかった。

疑い出せばきりがないとはいえ、迂遠でも用心に越したことはない。

そこで八次郎には、もし三杉が甚内社のほうへ顔を出したなら、彼を黒船稲荷に案内するようにと命じてある。

のちに、このあたりが火事で焼け、黒船稲荷は深川越中島の海辺新田に移るが、今の稲荷社は勘兵衛たちがいる大師堂より、やや北東の向かい側にあった。

その稲荷の裏手が、先ほど述べた御馬屋があるところで、ややくすんだ朱色の鳥居が、陽光を楽しむように赤い花を繁らせた百日紅《さるすべり》の先に見えていた。

比企は、この大師堂山門の柱の陰に身を隠し、いずれの場合にも、ひそかに三杉の首実検ができる、という寸法なのである。

（さて……）

いったい、どのような結果が出るか、と勘兵衛は、今や遅しと御厩河岸への道筋を望み、ときおりは蔵前通りの浅草見附方面にも目を配っている。正午の鐘は、まだ鳴らない。

「ところで話を蒸し返すようじゃが……」

柱の陰から、比企が言う。

「吉原は高いと聞いたが、いったいどれくらいあれば足りようか」

「さて、わたしにはわかりかねますが、太夫などと高望みなどしなければ、ほどよいところで遊べるのではありませんか」

「というて、まさか権蔵さまに端女郎をあてがうわけにはまいりませんしな」

「…………」

やはり勘兵衛には、答えようがない。

「ところで、どうでしょう。折りあらば江戸留守居どのに尋ねていただきたいのだが、なんと言おうか……その……金子を無心することなどできようか」

（ははあ……）

先ほどらい、比企が何のかんのと話していることは、つまるところ、金の問題に尽きるらしい。

権蔵ほかの一統を江戸屋敷から出すについては、当座の生活資金を渡したようだが、吉原で遊ぶ軍資金には覚束ぬ、といったところか。

（いや、比企さんも苦労するなあ）

同情はするが、これぱっかりは請け負いかねた。

「そうですね。もちろん松田さまにはわたしより尋ねてはみますが、権蔵さまを吉原で遊ばせるため、とは、ちと言いにくいですな」

「そうであろうな。いや、もちろん別の口実を考えねばならんのだろうが……」

ぼそぼそと言いかけた比企が、

「お……！」

小さく声をあげたのは、河岸のほうに人影が湧いたからであった。

4

ほとんど人通りのない河岸への脇道から、まとまった人影が近づいてくるのは、どうやら渡し舟が着いたせいらしい。

三杉らしい人影はなかった。

それからしばらくがたって――。

丹塗《にぬり》の支柱に胸を凭れかけさせるようにして、ときおり首だけを出して確かめていた勘兵衛が、

（おっ！）

思わず、目をこらした。

二つの人影が、こちらにやってくる。

（あれは……）

先立って踊るような足取りでくるのは、水色と白の太縞柄という派手な着物を、襟

元をくつろげて着た遊び人ふうで、その後から無地の単衣に野袴という武士がついてくる。

その、くたびれた着衣には見覚えがあった。

（あれらしい）

とは思ったのだが、困ったことに編み笠をかぶっていて、顔が見えぬ。

（さて、どうするか……）

こりゃ想定外であったぞ、と勘兵衛は思ったのだが、

（お……）

その間にも二人連れは、よほどに近づいてきて、遊び人ふうの男の顔がはっきり見えた。

勘兵衛の頬は、思わずゆるんだ。

「千束屋」政次郎の手下《てか》で、「へっついの五郎」であったからだ。

（よし！）

とっさに決断した勘兵衛に、

「あれか？」

隣りの柱の陰から比企が、小声で聞いてくる。

「そうです。わたしが先に出て編み笠を取らせますので、そのままでご検分を」

「わかった」

勘兵衛は、すたすたと山門から道に出ていき、

「おい、五郎さん」

と、声をかけた。

びっくりした顔を勘兵衛に向けた五郎は、とたんに弾んだ声になって、

「おうっと、こりゃ、驚き桃の木山椒《さんしょ》の木じゃござんせんか。いやぁ、嬉しいなあ。へい、一別三春《いちべつさんしゅん》でごぜぇます」

五郎、相変わらず舌がよくまわる。

それを、傍らで立ちつくしていた三杉が、さすがに礼儀と思ってか、自ら編み笠を取った。五郎の弁舌に、あきれたような顔をしている。で、

「先日は、いかい世話をかけ申した」

その口調が、やや、怪訝そうである。

「約束の場はきょうが祭りで、思いのほか混雑しておりましたもので、こちらでお待ちをしておりました」

言いながら、通行人の邪魔にならぬように、というふうを装って、勘兵衛は道の端

へと徐徐に位置を変えていった。

勘兵衛の動きに従い、三杉もぐるりと身体をまわしながら、

「そうでござったか。で……」

きょろきょろ、周囲に目をやる。

「これから、どうすればいいのだ」

「そう、そのことです」

すでに身体の位置を変えた勘兵衛からは、三杉の肩越しに大師院の山門が見通せた。

柱の陰から比企が出て、こちらにやってくるのがわかった。

(三杉本人に、まちがいなかったということか)

首実検は合格ということになる。

ところが——。

勘兵衛の視線に気づいて振り返った三杉が、

「ややっ！」

小さくうめくなり、横っ飛びに五歩ばかり下がった。そして襲われでもしたように
腰を落とし、腰の刀に手をやった。

それを見た五郎が、

「おっ！」

素早い動作で尻っ端折りになると、右手を懐に突っ込んだ。そこに匕首《あいくち》でも呑んでいるのだろう。

（そういうことか……）

一瞬のうちに、勘兵衛は三杉の行動の意味を理解した。

「心配はいらぬ」

まず五郎に声をかけてから、次は三杉に言った。

「三杉さん、誤解してはいけない。この比企さんは、あなたのお仲間ですよ」

「ん？　まことか」

「まこともなにも、三杉さんを、あのお方のところに案内するために、迎えにきたのではありませんか」

「え、お……」

三杉は刀からは手を離したが、まだ腰は落としたままで、もうひとつ事情が飲み込めない表情だった。

それに比企が声をかけた。

「やあ、三杉うじ、久し振りだな。まさかおぬしが、江戸へ出てくるとは思わなかったぞ」

「お、おう、比企どのこそ……、いつ、江戸に来られたのじゃ」

「さよう、もう、ふた月ほどに、なろうかの」

「さようか。それは……、いや、まるで知り申さなんだ」

三杉は、ようやく警戒の姿勢を解いた。

どうやら三杉は、比企がとっくに脱藩していたことを知らず、自分に向けられた討手かと疑ったようである。

「舟は、待たせているのだろう」

「へい。お言いつけどおりに」

着流し姿に戻った五郎が答えた。

勘兵衛と五郎は、河岸に立って周囲に目を配りながら、比企と三杉が乗り込んだ舟を見送った。

あとは比企が、隠れ家に案内するはずだ。ひとまずのケリがついて、勘兵衛は息を抜いた。

「五郎さん、いつもながら厄介をかけて、すまぬな」

「なんの。で、旦那は、これからどちらへ」

「うん。甚内社へな。八次郎が待っておるのだ」

「さようで。あっしも一度お詣りをしたいと思っておりやしてね。ご一緒してかまいやせんかね」

「さようか。では、まいるとしよう」

今度は五郎と並んで歩くことになった。

5

日輪は頭の天辺にあって、道行く影はいよいよ短い。

相変わらず、よく舌のまわる五郎は話題も豊富で、近ごろ辻駕籠が御免になって、通人たちが吉原通いに使いだした、などとしゃべっている。

それを聞いていて、勘兵衛は比企の話を思いだした。

そこで、そろりと探りを入れた。

「五郎さんは、吉原のことには詳しいのか」

「詳しいかと聞かれちゃ困っちまうんだが、羅生門河岸の、猫の顔くらいなら知ってますぜ。へい、どういったことでござんしょう」

どうやら五郎は冗談を言ったらしいのだが、残念ながら勘兵衛には通じていない。

「わたしは未見にしてなにも知らぬのだが、いったいに、どのくらいで遊べるものか、と思うてな。高い、と聞いたが……」

「おっと、なるへそ、臍の下。さいでござんすか。いや、そうとわかりゃあ、この五郎、いつでも喜んでご案内をつかまつりますよ。なんの、高いと言っても知れてまさあね。へい、二朱女郎といいやしてね、二朱ぽっきりというわけにゃいかねえが、酒食を入れても一分で釣りがきまさあ」

思ったとおり誤解されたようだが、五郎を相手に、いちいち言い訳しても仕方がない。

苦笑しながら、なおも尋ねた。

「もう少し、上等な遊女もいるのだろう」

「あれさ。二朱女郎といっても立派な部屋持ちで、切見世女郎じゃござんせんが……。へえ、そりゃあ、いろいろと取り揃えておりますですよ。ええっと、どのていどのかんぴょうをお望みでござんすかい」

「かんぴょう?」

五郎の言っていることは半分ほども理解できぬが、とりわけわけがわからぬのが、これであった。

「へい、干瓢《かんぴょう》。遊女のことを、そう呼びますのさ」

「ほほう」

勘兵衛が首をひねるのを見て、

「ほれ、干瓢ってのは夕顔の実から作りやすんでね。遊女といえば夕顔を作るのが商売。それで女郎のことを干瓢と言いやす」

といういうことらしい。

「なるほど……、で、どんな干瓢があるんだ？」

「上物からいきゃあ、まず太夫、次が格子で、散茶《さんちゃ》に梅茶《うめちゃ》に局《つぼね》と五段階、ほかに番頭新造とか振袖新造なんかもありやすが」

「さようか。ちなみに、太夫となると、いかほどだ」

「おおっと、こりゃ驚き白檀《びゃくだん》、栴檀《せんだん》の木だ。本気ですかい」

「ちなみに、と言うたではないか」

「へいへい。まずは太夫の揚げ代はといえば一両二分、次席の格子で一両というのが相場でござんすがね」

「ほう、そんなものなのか」

安いとは言いがたいが、目の玉が飛び出るほどでもない。まあ、金の成る木でもお持ちになってれば、別でござんすが……」

五郎は、素人はこれだから困るとばかりに、月代《さかやき》を掻く。

「そうなのか」

「そうなんでございますよ。よろしゅうござんすか。太夫や格子を相手にしようと思っても、いきなりというわけには、いかねえんで。まずは揚屋《あげや》に入って、そこから呼んでもらわなきゃあならねえ」

「揚屋というのは、聞いたことがある」

「そりゃ、よござんした」

もう、すっかり五郎は、おちゃらけになっている。

揚屋で太夫を待つ間にも料理が次つぎと出てきて、やがて太夫が新造やら禿《かむろ》やら遣《や》り手やら、ぞろぞろ七、八人ほども供を従えてやってくる。そのそれぞれに料理をふるまい、祝儀もはずまねばならない、というしきたりになっているそうだ。

そうして、ようやく張り店に移った後は、幇間や女芸者なども呼んでの宴となるが、太夫は酒も飲まねば料理も食わず、ことばを交わすこともなく終わって、それで軽く

二、三十両ほどは吹っ飛ぶらしい。
それればかりではない。

二度目は裏を返すといって、ほんの少し太夫が客に近寄る以外は同じこと、三度目にしてようやく馴染みになれるという。

（こりゃ、もう……）

五郎の言うとおり、金の成る木でも持っていなければ追っつくものではなかった。松平権蔵が吉原で遊びたいのであれば、五郎が言うところの〈二朱女郎〉あたりで我慢してもらわねばならぬのだろうな……と勘兵衛が思いはじめたころ、正午の鐘が響いてきた。

すでに勘兵衛と五郎の姿は、猿屋町の人混みの中にある。

（比企さんたちは、どのあたりまで行ったかな）

三杉とともに舟に乗った比企のことを思いつつ、人の流れに逆らわず、そのまま寺社奉行の屋敷に入った。

広い庭を見物しながら進むと、池の畔に小さな社《やしろ》が見えた。ここが幸坂甚内社らしい。そのあたりに、ひときわ人が群れている。

少し離れたところに枝ぶりのいい松の木があり、そこに八次郎はいた。

きょと、きょとと視線を巡らせていたのが勘兵衛に気づいたらしく、小さく頭を下げた。

「じゃ、あっしは甚内さまに詣らせていただきやすんで……、また、お会いしやしょう」

行列に並ぶ五郎と離れ、松の木に行きかけるより早く八次郎のほうが駆けてきた。

「もう、お済みになったので?」

「ああ、終わった。ご苦労だったな」

「いえ。で……」

八次郎は、ちらりと行列のほうを見た。

「おまえ、お詣りはまだか」

「はい」

「そうか。では、詣ってくるがよい」

「え、旦那さまは?」

「遠慮しとこう。先に戻っておるよ」

夏の後ろ姿を見送っているこの時期、瘧にかかることもなかろうし、いかに神様とはいえ、大泥棒に参拝する気にはなれない。

こうして八次郎とも別れた勘兵衛が、門外に出ようとしたときのことである。

さしもの大身旗本の屋敷の広い門も、入る人波と出る人とがぶつかり、せめぎ合うような恰好になっていた。そんな混雑の中で――。

「ほ……」

湧いて出たような声がして、勘兵衛は声のほうを見た。すぐ右手の男である。

男と視線が合った。

「あ……！」

勘兵衛と同様に門外に出ようとしている男の顔に見覚えはあったが、一瞬、誰だかわからなかった。

「これは……、菊池さま？」

「うむ」

菊池は小さく顎を引いた。

たしかに増上寺掃除番の菊池兵衛である。

ところが、まるで風体が変わっていた。

黒の腹掛けに縹《はなだ》色の半纏をまとい、下には白い半股引《はんだこ》を穿き、素足に雪駄という恰好はどう見ても職人姿であった。おまけに豆絞りの置き手拭いなどしているから、すっかり見違えてしまったのだ。

「甚内さまに、お詣りでございましたか」

「嫁がせた娘に子ができてな。その初孫のためにな……」

やや照れくさそうに、菊池は笑う。

それにしても、このような変装でくるとは……と勘兵衛は思った。

それも見事な変装ぶりだ。やはり菊池は、ただの掃除番ではなかったのだな、と改めて実感する。

「それより礼が遅うなったが、過日はけっこうな菓子を届けていただき、ありがとうござった」

菊池がぼそぼそした小声で八朔の礼を言うのは、職人姿でありながら武家ことばを使うのを周囲に怪しまれぬためであろう。

菊池の留守を承知で、黒鍬町に八朔の進物を届けた勘兵衛は、内職中の妻女に金を忍ばせた菓子折を渡してきたのであった。

「礼など、とんでもございません。実は我が家は、つい目と鼻の先、少し立ち寄られて茶でも飲んでいきませぬか」

「ほ、愛宕下の長屋暮らしではなかったのか」

「いえいえ、わたしは、この猿屋町に町宿をいただいて住んでおります」

「おお、そうか。ふむ、それは好都合、折りあらば、こちらも少しばかり耳に入れたいことがありましたのでな。では少しお邪魔をいたしましょうかな」

さて、なにごとであろうと思いながら勘兵衛は、菊池を町宿に招いた。

「こりゃ、なかなかによき住まいじゃ」

飯炊きの長助に茶を頼んで座敷に入ると、菊池が誉めた。

茶が届くまでは世間話など交わしたが、勘兵衛は、菊池が耳に入れたいと言ったことが気になってならない。

それでも長助が茶を運んでくるまでは我慢して、
予感のようなものであろうか。

「で……」

とうとう催促をしてしまった。

「いやいや、たいしたことじゃないんだが……」

出された茶をひとくち飲んで、菊池は右手をひらひら振った。

「近ごろ、高輪《たかなわ》のほうが評判になっておるものでな」

「え、高輪と申しますと……」

下屋敷で、なにかあったかと勘兵衛は表情を引き締めた。

「さよう。先月の、二十六夜待ちの一件じゃよ」

「はて……?」

首をひねった勘兵衛を見て菊池は、

「さようか。やはり、ご存じないか」

溜め息混じりの声になった。

「もしかして、我が下屋敷で、なにか起こりましたか」

勘兵衛は血の気が、すうっと引くような思いであった。若殿が、なにかしでかした、としか思えない。

「先ほども言うたように、たいしたことではない。たいしたことではないが、あまり芳《かんば》しい噂でもない。実はな……」

二十六夜待ちの夕、高輪にある大野藩下屋敷に、いかがわしい扮装の踊り子たちが大挙して入っていった。

それればかりではない。深夜になると月待ちをしている高輪の浜辺に一団は現われ、浮かれて狂態を演じたというのだ。

(むむう……!)

大名家の下屋敷に、いかがわしい者たちが出入りするだけでも家名の傷となろうに、おそらくは直明と取り巻きたちが、衆目に恥をさらしたらしい。

「近ごろ、そんな噂が届くもので、つい老婆心から申したまでのことじゃ」

「いや、かたじけのうござる。恥ずかしながら、まるで知りませんでした」

「噂などとは、そういうものだ。身内の耳には最後に届く、という口でな」

「いや。汗顔の至りです。よくぞお教え下さいました」

頭を下げながら勘兵衛の内には、爆発しそうなほどに怒りがこみ上げてきている。

(伊波め……!)

若殿の側におりながら、どういうざまだ！

「愛宕下のほうも、まだまだ藪蚊が絶えぬようだし、なにかとご苦労なことだな」

「は、はあ……」

「ま、役に立てるかどうかは定かではないが、困ったことがあれば相談をされよ」

と、菊池は言ったのではあるが、そのとき勘兵衛は渦巻く怒りのただ中で、

「ありがとうございます」

菊池のことばを、ただ漫然と聞き流してしまった。

折も折、八次郎が戻ってきた。

「では、お邪魔をいたした。なにかあれば、増上寺のほうにな」

菊池は、立ち上がった。

菊池を玄関で見送ったあと、八次郎がさっそく尋ねてきた。

「誰です？　あの職人は」

「誰でもよい！」

いつになく激しい勘兵衛の語調にあって、八次郎の目が丸くなった。

冬瓜《とうがん》の次郎吉

1

赤坂表伝馬町の一画に蕎麦屋があった。

このころの蕎麦というのは〈けんどん蕎麦切り〉で、ほかなら一杯盛り切りで六文のところ、この店は酒を出して接客女もいるから七文をとる。

一杯の蕎麦を食べ終わっても、いっかな席を立とうとしない男がいた。格子戸ごしに、ちらちら外を眺めている。

年のころは三十前か、色は黒いがくっきりした二重まぶたと、立派な鷲鼻を持っている。

店に客は少ないが、そろそろ昼時に近く、女たちがせわしなく動きまわっては男を睨んだ。

（これからが稼ぎどきなのに、そうねばられちゃ、かなわないね）

女たちの眼が、そう言っていた。

「ねえさん」

男に声をかけられ、じっと見据えられて女は怯えた顔になった。

「蕎麦をもう一杯、それから酒をぬる燗でくんな」

「へい」

女は浮き足だったように、男から離れた。

やがてやってきた二杯目の蕎麦を肴に、ちびちびと酒を啜っている男は、通り名を「冬瓜《とうがん》の次郎吉《じろきち》」という。

その次郎吉は、

（きょうこそは決着をつけてやるぜ）

盃を口に運びながら、胸の内で息巻いていた。

ことの起こりは、七日ばかり前のことだ。

――愛宕下に不穏な連中がいるので、おまえ、そいつらの身許をあたってくれ。

火盗与力の江坂鶴次郎から命じられた。

――合点、まかしといておくんなさい。

尾行は、次郎吉の得意中の得意だったから、気安く胸を叩いたものだ。

ところが、そう簡単には運ばなかった。

というより、おそろしく用心深い連中だったのだ。

さっそく愛宕下へ足を運んだ次郎吉は、

（こいつらだな……）

それらしい男たちを、すぐに見つけだすことができた。

そいつらは、申し合わせたように無地の単衣に軽衫《かるさん》で、頭には網代笠という姿《なり》であった。まさに江坂の旦那に教えられたとおりで、まことにわかりやすい。

次郎吉がざっと見まわったところ、それらしいのが五人かそこらはいて、その内から芝の切り通しに潜む侍にめっこをつけた。理由は表には増上寺中門、裏手には芝切り通しの時鐘櫓、と見張りやすい場所があったからだ。

七ツ半（午後五時）ごろになって、交代らしい侍がやってきた。やはり同じような恰好をしている。

切り通しの坂を上って引き上げていく侍を勇躍、つけはじめた次郎吉だったが、それからの道筋というのがややこしい。

芝の切り通しから西久保へ出たのち、城山土取場のほうへ向かった。それから江戸見坂の上手に出ると、赤坂溜池台を通って雁木坂《がんぎざか》の石段を下る。

この間、周囲は武家地ばかりで、進路は東西南北、めまぐるしく変わる。まことに尾行者泣かせの道筋であった。

(こいつ、わざと、ぐるぐるまわってるんじゃねえのか)

またもや四つ辻を曲がって、右も左も御先手《おさきて》同心大縄地という、麻布三谷町に入ったところ、次郎吉は、そんな想いに取りつかれた。

尾行に気づいての回り道ではないか、とも思ったが、およそ半町ほども間を空けている網代笠は、一度として、後ろを振り向かない。ただ坦坦と歩き続けている。

それでも、いきなり、ばっさり、ということもあるから、角を曲がるときは細心の注意で、これはなかなかに冷や汗ものであった。

もっとも用心のために、懐には匕首を呑んでいるし、これまでいくつかの修羅場もくぐった次郎吉だった。

次郎吉は四ッ谷塩町で髪結床を女房にやらせ、本人は江坂鶴次郎の付き人をしている。

この付き人というのは、町方における岡っ引きのような者で、早い話が次郎吉は以前、悪事を働いて火盗に捕まったが、お目こぼしにあずかり、今は江坂の手足となって働いているのであった。

十五の春に、葛飾、中川のほとりにある葛西川村《かさいがわむら》から江戸に出てきた次郎吉は、しばらくやっちゃ場（青物市場）で人足をしたあと、棒手振の野菜売りをはじめた。初夏には茄子を売り、夏には枝豆や真桑瓜《まくわうり》といった季節の野菜を売り歩くのである。天秤棒を担ぎ、〈かぶら菜召せ、大根はいかに、蓮も候〉などと呼ばわって、二年ばかりを過ごした秋のこと、次郎吉の売り籠には冬瓜が入っていた。

そんなとき、長屋のかみさんから愚痴を聞いた。味噌汁の実にしたいけど、そんなに大きな冬瓜だと持てあましちまう、というものである。

じゃ、小分けしやしょう、と冬瓜を四つに割って売ったところ、他のかみさん連中も次つぎと買って、大いに品物がはけたことがある。

そこで思いつき、はじめから冬瓜を味噌汁の実として切り分けて、一人分一文で売り出した。

これが飛ぶように売れた。

だが、いくら売れるからといって荷商いではたかが知れている。

思いきって屋台店で売ることにした。向柳原の和泉橋袂に早朝から露店を張り、夕刻には閉じる。

これが当たって大繁盛、とても一人ではこなせなくなって、売り方や料理方なども雇った。

冬瓜だけではなく、味噌汁の実になりそうなものは、一袋一文に小分けしてなんでも売ったから〈一文屋〉などとも呼ばれ、いつしか〈冬瓜の次郎吉〉と異名もついた。

そうなると真似をする者も出てきて、これにはひとを雇って脅しをかける。

そうこうするうち、次郎吉も神田あたりでいい顔になっていて、露店の権利を売ったあとは貸元になった。早い話が破れ寺に博打場を開いたのである。

金はずいぶんと稼いだが、ついに御用になる日がきた。本来なら追放となるところを赦《ゆる》されて、火盗与力の付き人になったのである。

2

それはさておき、麻布三谷町を抜けた網代笠は、突き当たりを左に折れて麻布谷町に入っていった。そのまま道玄坂を下り終わって道を横切ると、すたすた鳥居をくぐった。

太田道潅《おおたどうかん》が溜池に祀ったのを、のちにここへ遷したといわれる久国《ひさくに》稲荷である。鳥居の蔭からそっと覗くと、およそ三十坪ほどの狭い境内に、網代笠が三つ固まっていた。

頭をひねっていると、北のほうから、別の網代笠が近づいてくるのに気づいた。次郎吉は、鳥居を離れて南に歩きはじめた。

（こりゃ、いってぇ……？）

（さて、どうする？）

次郎吉は思案した。

周囲は御箪笥《おたんす》組同心の拝領屋敷や、年貢町屋が建ち並ぶあたりだ。

このあたり元は村だったところで、今も周囲には百姓地が点在する。だから代官支配地なのであった。

そんな土地柄だから、御家人や百姓ならいざ知らず、職人ふうに化けている次郎吉が参詣を装って、ほいほい稲荷社に入っていくのも変な話であった。怪しまれるのがオチである。

といって、周囲には商店もなく、身を隠すとすれば、すぐ先に見える寺しかなかった。永昌寺《えいしょうじ》という。

取りあえず寺の門柱の蔭に身をひそめて覗き見ると、新しく現われた網代笠も久国稲荷の境内に入っていった。

(ははーん)

どうやら、あの境内が集合場所になっているようだ、と次郎吉は合点した。

愛宕下に四散している怪しき者たちは、それぞれの交代要員がきたのち、一旦は、そこに集まるらしい。

(ってぇことになると……)

境内には、あれで四人だから、もう一人くるってことになるか……。

次郎吉は、しばらく待つことにした。

すでに陽は細って、夕刻が近い。

(あの連中ときたら……)

まるで、蝙蝠《こうもり》みたいなやつらだぜ。

次郎吉がそんな連想をしたのは、夕刻が近かったせいかもしれない。どれもこれも、同じような姿をした一団が、稲荷社の境内に集まってくるのである。

子供のころの記憶だが、異常に繁殖した蝙蝠が夜中になると、家の軒下の一画に集まることがあった。まるで黒い塊のようになっている。

それを竹竿の先で突くと、わっと何十匹ともしれぬ蝙蝠が、月の下を駆け抜けていくのであった。

夕刻の神社の境内。そこに蝟集《いしゅう》してくる同じ恰好の曲者たちは、まさに蝙蝠を連想させたのである。

（きた……）

五人目が北からやってきた。やはり鳥居の奥に消える。

息をこらして、次郎吉は待った。

だが蝙蝠たちは、いっかな表に出てこない。

（まさか……）

先ほど覗き見たとき確かめたが、稲荷の裏地は大きな武家屋敷で、抜け道などはなかったはずだ。

様子を見てみようと寺の門前へ出て、稲荷のほうへ近寄っていった。

（あっ！）

もうすぐ鳥居というところまできて、ふいに右手の道から人影が現われた。

それも軽衫に網代笠の侍である。

（まだ、いやがった……）

引き返しもならぬ次郎吉に、新たな人影は一瞥をくれたようだ。

何食わぬ顔をして、次郎吉は人影が現われた道へと切れ込んだ。さっききた道玄坂へ続く道である。

(危なかった)

振り返った眼に、鳥居をくぐる背が見えた。

狭い道ばたに欅《けやき》が一本、枝を張っていて、その裏側に潜りこんだ。かろうじて鳥居のあたりが見てとれる。

待つ間もなかった。

ぞろぞろと蝙蝠たちが、鳥居を出てきた。

一団は都合六人、これで全員が揃ったということだ。

(よし!)

欅を滑り出た次郎吉だったが、またも勝手が狂うことになる。

鳥居を出たあと、網代笠の一団は北に向かった。

するとすぐに道は二手に分かれる。右手をとれば榎坂の方向へ、左手ならば南部坂へ……。

一団のとった道は、南部坂のほうだった。

ところが——。

その岐路で一人が立ち止まったばかりでなく、くるりとまわった。後方を確認したのだ。

（こりゃ、いけねえ）

次郎吉は面食らった。

いわゆる殿備《しんがりぞな》え、というやつにちがいない。

明らかに、尾行者がいないかを確かめているのであった。

ここで止まれば余計に怪しまれるから、次郎吉は、そのまま歩き続けた。脇に冷や汗をにじませながら、右手の道を選ぶしかない。

そろそろ夕闇がきはじめたなかで、殿《しんがり》を務める蝙蝠が、首だけを動かしている。

じっと次郎吉を見ているのだろう。

その日は、尾行をあきらめた。

次の日も同じだった。

用心のために、今度は行商人に化けてみた。きのうの失敗に懲りて、南部坂の先で連中を待ち伏せした。

だが、そうやってつけはじめてみたが、道の分かれ目分かれ目で殿備えをやられ、いっかな尾行が続かないのだった。

次郎吉は、意地になった。

そこで、あと二日ばかりかけて愛宕下を観察したところ、彼らの行動方式がだいたい見えてきた。

まず愛宕下に最初の見張りが現われるのは明け六ツ（午前六時）ごろで、五ツ半（午後九時）ごろには全員が引き上げる。その間に二度の交代があって、その時刻は四ツ半（午前十一時）と七ツ半（午後五時）ごろのようである。

すると六人二組の十二人態勢か、あるいは三組の十八人態勢か、と考えられるが、これはなまなかな相手ではない、と考えられた。

なにしろ規模が大きい。

よほどの組織力がある、ということだ。

（こりゃあ、まともに尾行したって、埒《らち》があきゃしねェ）

次郎吉は知恵を絞ったあげくに、ひとつの解決策にたどりついた。

とにかく、交代を終えた一組が、それぞれの道筋を違えて、ひとところに集まってくる。それが、麻布谷町の久国神社であった。

そのあとは南部坂を上って、いずくかへ戻るのだが、それを突き止めたい。

要は、六人一組となった侍が、日に三度、来る日も来る日も同じような行動をとり続けているのである。

これが目立たぬはずはない。

ましてや、それぞれが無地の単衣に軽衫で網代笠をかぶっている、という顕著な特徴があるのだった。

一団はどうやら、武家地ばかりを選んで通っているようだが、そこには辻番所というものが点在している。

ならば、付近の辻番所をしらみつぶしにあたって番人たちから話を集めれば、あの蝙蝠たちの塒《ねぐら》が知れようというものではないか。

この策は当たった。

南部坂で今井台へ出たのちは、赤坂中之町の武家地を抜けて溜池近くの堀端へ出る。ちょうど田町の四丁目と五丁目の境のあたり、それが蝙蝠たちの道筋に当たるらしい。

その後も話を集めていって次郎吉は、さらに、蝙蝠たちが赤坂御門内に入っていく、と聞き込んだ。

その赤坂御門の真ん前が赤坂表伝馬町で、おあつらえ向きに蕎麦屋があった。

今、次郎吉は、その蕎麦屋で手ぐすね引いて待ちかまえている。

愛宕下で四ツ半（午前十一時）に交代があれば、正午までには現われるはずだ。

そう踏んで待っているのだが、これが、なかなか姿を現わさない。

仕方なく二杯目の蕎麦と酒を頼んで、ちびちびやっているところだった。

ゴーン、ゴーン、ゴーン、と三つ捨て鐘の音《ね》が響いた。赤坂寺町の円通寺からである。このあたりの、それが時の鐘であった。

（おっと……）

もう正午《ひる》かい、と次郎吉は、あてがはずれたような気分になる。

蝙蝠たちが、まだ姿を現わさぬ。

捨て鐘のあと……六つ、七つ、八つ、そしてとうとう九つ目の鐘が鳴りはじめた。

九ツ、正午を告げる鐘だ。

（おい、どうしたい……）

あてがはずれたか、と思わず苛立って、盃の酒をあおってから見た格子戸の先に
——。

（ざまぁみやがれ、きやがった！）

心に快哉を叫んで、次郎吉は腰を浮かしていた。

3

菊池兵衛から聞いた若殿の醜聞について、すぐに勘兵衛は江戸留守居の耳に入れた。

だが松田は眉をひそめたものの、

「捨て置け」

と、ひとこと言い、

「よいな。決して高輪には関わるでないぞ」

念まで押されてしまった。

今は松平権蔵のことだけに傾注しろ、と言うのである。

それに、元はといえば勘兵衛を江戸に呼んだのは若殿であった。なのに、もう勘兵衛のことは忘れてしまっているらしい。

だが松田によれば、そのほうが藩のためにも勘兵衛のためにも、好都合だというのである。藪をつついて蛇を出すわけにはいかないのだ。

それでも勘兵衛は、せめて伊波に会って、文句のひとつも言いたかったのであるが、これも松田に固く禁じられてしまった。

（おもしろくないぞ……）

鬱鬱とした気分も晴れぬまま数日がたったある日、火付盗賊改方与力の江坂鶴次郎が小者を連れて町宿に訪ねてきた。

「遅くなったが、ようよう愛宕下の蝙蝠どもの塒を突き止めたでな」

福助のように大きな顔を、ほころばせた。

「お、まことですか」

「うん。これは〈冬瓜の次郎吉〉というて、わしが付き人に使っておる者だが……」

「へい。次郎吉でごぜェやす。以後、ご別懇のほどを……」

「こちらこそ、よろしく頼む。で、連中の塒を突き止めたそうだが、いったい、どこの何者でしょうか」

「いえ、それが……。中途半端なことで、おそれ入りやすが、今んところ、突き止めましたのは塒だけでございやして、へい、申し訳ございやせん」

「いやいや、こちらこそおそれ入る。巣窟が知れただけでも、ありがたいのだ」

「なにしろ用心深い連中で、何度もまかれちまいましたが、ようやくに……。連中が潜んでおるところは、どうやら平川天神内でございますよ」

「なに、平川天神……ですか」

その名に覚えがあった。

「近くに〈ももんじ屋〉があるところか」

たしか［山奥屋］といったか、獣肉を扱うその店のことは、大名行列襲撃未遂事件の折に、［千束屋］の政次郎を通じて関わりを持ったことがある。

「へい、麴町平川町――〈ももんじ屋〉があるところから、目と鼻の先の天満宮でござぇますよ」

次郎吉は、くっきりした二重まぶたの目元を笑わせた。

「わたしはまだ平川天神に行ったことがないのだが、その、巣窟が天神内というのは、どういうことであろうか」

宮司だか、別当だかのところに住まっているということか。

「へい、それは大きな天満宮でございますから、門前町の他に、門内にもいろんな店がござぇますのさ。蕎麦屋もあれば料理屋や菓子屋もあり、医者も住んでりゃ、なんていうのか、学問所みたいなところもありましてね」

「あれは私塾だ。なんでも陽明学を教えておるところで、［鴬鳴塾《おうめいじゅく》］という名だそうだ」

横から江坂が言い添えて、

「そこが、どうやら巣窟らしいのだ」

「ほう……」

勘兵衛は、首をかしげるほかはない。

陽明学を教える私塾が、なにゆえあって我が江戸屋敷を見張るのであろうか。

「大急ぎで調べてはみたのだが……」

江坂は首をひねって見せて、続けた。

「[鴬鳴塾]の主は、相澤梅紅《あいざわばいこう》という学者だそうだ、熊沢蕃山《くまざわばんざん》の弟子だったというほかは、もうひとつ素性が明らかではない」

「そうですか」

熊沢蕃山の名は、勘兵衛も聞いたことがある。元は岡山藩の藩士であったが、幕府の官学である朱子学と対立して、今は摂津の太山寺《たいさんじ》に幽閉されているらしい。

次郎吉が口を開いた。

「大家や、下っ端の神職にもあたりやしたんですが、その塾は、もう十年も昔からあるそうでごぜぇますよ。午前の内は手習い所になっていて、午後からは、武家にも町人にも分け隔てなく学問を教えるそうにごぜぇます。内弟子として住みついておるのが二人ほどいるそうですが、そのほかに、およそ三月《みつき》ばかり前から、そこへ何人かの武士が寄宿するようになった、とのことで……」

「三月前からか」

　愛宕下に見張りが立ちはじめた時期と一致する。

「それも、二階屋のほうに寝泊まりしているらしくって、大家の話だと、当の梅紅先生からは、知人に頼まれて五人ばかり、しばらく預かっている、と聞かされたって言うんですが、その知人が誰なのかまでは聞いてない、ってぇことでして」

「なるほど……」

「わからねェ、といえば、もうひとつわからねェことがございやしてね」

　次郎吉は、不思議そうに首をかしげた。

「なんでしょうか」

「へぇ、あっしが見るところ、蝙蝠の数……いや、一味の数は少なくとも十二人、いや下手すりゃ、二十人がとこはいると踏んでたんだが、そのヨウメイジュクだかオウメイジュクだか、とても、そんだけの人数を住まわせるような器じゃござんせんのさ。見た目でも二階なら、せいぜいで五人か六人、これは大家の話と合いますんですが、いや、面妖なことでござぇますよ」

「ふーん」

なるほど奇妙な話だが、勘兵衛とて、ちょっと見当がつかない。

すると江坂が、

「ま、そのようなことだ。本来なら最後まで調べてやりたいところなんだが、近ごろ、ちょっとな……。うん、江戸から姿を消していた盗賊一味が舞い戻ってきたらしくって」

多忙らしい。

「それは、お忙しい中、お世話をおかけしました。一味の巣が知れただけでも助かります。あとはこちらにおまかせを願います」

「すまないな。だが、この次郎吉は自由に使ってくれ。本人も、そう望んでいるんだ」

「へい。あっしも、どうにも気色が悪くてならねぇんで……。どうぞ使ってやってくださいやし。なにしろ平川天神というのは、あっしの家から、存外に近うござんしてね。へい、四ッ谷塩町の二丁目に、[冬瓜や」って髪結い床がありますのさ。そこが我が家でござんすから、どうかご遠慮なく……」

ということで、江坂と次郎吉は帰っていった。

（相澤梅紅か……）

なるほど、菅原道真《すがわらみちざね》を祀る天満宮に住んでいるから、梅紅の号をつけ、塾の名も［鶯鳴塾］としゃれたのだろう、とはわかる。

だが、それ以外のこととなると、やはりちんぷんかんぷんなのだった。

腕組みをしたまま、しばらく考えこむ勘兵衛だったが——。

（こうは、しておれぬ）

そそくさと立ち上がると、飯炊きの長助に外出を告げた。八次郎は［高山道場］へ稽古に出かけている。

4

あいにく江戸留守居の松田は他出中であった。用人の新高陣八、若党の八郎太親子ともども一緒とのことで、行き先も帰り時間もわからない。

（さて……）

少し思案したのち勘兵衛は、賊の巣窟がある平川天神を見ておこう、と思い立った。少し近所に聞き込んでおくのもよい。

ここから平川町へは、新シ橋を渡って外桜田経由で行くのが、一番の近道である。

で、江戸屋敷の切手門を出たのち、愛宕下通りを北に向かいはじめた勘兵衛だったのだが——。

「お！」

一声小さくうなったのち、思わず横手の秋田小路に飛びこんだ。

というのも、愛宕権現の総門前に思わぬものを見たからだ。

愛宕下通りの路傍には桜川という小川が流れており、総門まで反《そ》り橋が架けられている。

例の見張りが潜んでいる場所だった。総門と橋の半ばくらいまでを行ったり来たりしながら、往来を見張っているのだ。

もうすっかりお馴染みの網代笠が、橋の半ばくらいに佇んでいるのが見えたが、それがくるりと踵を返し、門のほうに戻りかけたときだった。

足が、ぴたりと止まると、後ろを振り返った。

勘兵衛のところから一町ばかりの距離があったから、しかとは言えぬまでも、誰かが声をかけたように見えたのである。愛宕権現への橋上は、きょうも参詣客で賑わっていた。

まず勘兵衛は秋田小路の先を確かめた。

突き当たりの左右の道を、やはり行ったり来たりしながら見張っている者がいる。だが、今、その人影は見えなかった。

それだけを確かめてから、小路の角から、そっと愛宕権現のほうを覗き見た。旗本、片桐主膳《かたぎりしゆぜん》の屋敷の角である。

だがすでに、橋上に網代笠の姿はなかった。

というより桜川沿いには、参詣客を当て込んだ掛け茶屋が並んでおり、それが邪魔をして、よくは見えぬのである。

（ちっ！）

小さく舌打って、勘兵衛は小路を走り出た。

速足ながら用心深く、愛宕権現の橋に近づいていった。

見えた。

橋の先と総門の間は小広い広場となっており、今しも網代笠と法被《はっぴ》姿の男とが、総門をくぐろうとするところであった。

そして、消えた。

総門の先には鳥居と、さらには急な男坂の石段が続き、人人《ひとびと》の上り下りの様子が見えるが、そのなかに網代笠はない。

おそらく二人は山門の陰に入ったと思われたが、この場にいつまでもとどまっていては、逆にこちらが感づかれてしまう。

（ふうむ……）

瞼の端に残った男の風体のことを考えながら、勘兵衛はその場を離れた。

紺木綿の法被に梵天帯、下は白股引――腰には木刀という恰好は、大名家や旗本家の中間《ちゅうげん》の恰好だ。

残念ながら、家紋までは確かめられなかった。しかし、二人して山門の陰にまわったということが重大だった。

あるいは、見張りの身許を知る手がかりになるかもしれぬ。

（よし）

しばらく、様子を窺ってやろうと決めた。

幸い愛宕権現の社地は広大だが、出入りができる場所といえば、総門ひとつきりである。つまり、いずれは橋を渡って出てくる。

それを待って、尾行してやろうと思った。

ところで桜川に架かる反り橋というのは、それ、ひとつきりではない。両手の指を超える寺が櫛比《しっぴ》していて、そのそれぞれが反り橋を持っている。

ここから藪小路までの間にも、七つの橋が架かっていて、橋と橋の間には茶店や屋台店が並んでいるのであった。

そこで手近の掛け茶屋に身を隠して……という方法をとろうとしたが、あまりに近すぎては気づかれるおそれがあった。

隣りの教正院に架かる橋袂あたりでと思ったら、そこは屋台ばかりで、あまりにも透け透けすぎる。

葦簀張りで、こちらの顔は隠れるが、愛宕権現の橋は見通せるといった茶屋を物色し、

（このあたりが、よかろうか）

〈お休み処〉と〈桜湯〉の竿旗が立てられた茶屋に決めようとした勘兵衛だったが――。

（ありゃりゃ……）

念のため、もう一度確かめると、くだんの中間らしい男が橋の上だった。もう用事をすませたのだろうか。

見ている間に橋を渡り終え、こちらにやってくる。

なかなか思いどおりにはいかぬものだ、と苦笑しながら勘兵衛は、とっさに丸太組

に葦簀を張り巡らせただけの掛け茶屋の横手に隠れた。

いらっしゃいませ、を言いそびれた茶屋女が不思議そうな顔で覗くので、草履の鼻緒の具合を確かめるふりをしてごまかすと、引っ込んだ。

やがて中間が通りを過ぎた。

勘兵衛もぶらりと道に戻り、法被の紋を見て驚いた。

（なんと……）

丸に三葵、これは勘兵衛の大野藩と同一である。

（さては……）

やはり、越前福井藩であったか——。

大野藩の本家であるから、当然に同じ家紋なのだ。

つまりは江戸留守居の松田の読みが当たったことになる。松平権蔵のために福井藩の家士が脱藩することを、新藩主が許せないのだ。

一種の、御家騒動のようなものであった。

中間は、次の薬師小路に入り大名小路に出ると、仙石因幡守《せんごくいなばのかみ》の屋敷手前をさらに東へ入った。それを勘兵衛は、やや間隔を空けて追尾した。

（ほんとに、福井藩であろうか）

考えてみれば大名にしろ旗本にしろ、松平を名乗る家は無数にあって、三つ葉葵の紋所も珍しいものではない。

しかし福井藩の江戸屋敷は、両国橋西から南西の同朋町にあるから、中間が進む方向としては矛盾がなく、やはり福井藩の中間だとも考えられる。

（だが……）

勘兵衛が、もうひとつ納得のいかぬのは、それなら見張りの巣窟である平川天神とは、あさっての方向になって、辻褄が合わないからだ。

松田の読みから、勘兵衛は福井藩の江戸屋敷のことを調べておいたが、その中屋敷、下屋敷は、それぞれ霊岸島と四ッ谷の北の外れにある。いずれも平川天神との共通項はなかった。

そういったことを考えながら、跡をつけていくと露月町《ろげつちょう》に出た。新橋から続く通りである。

北東へ通りを進むと、小さな木橋がある。海から引いた掘割に渡した橋で、源助橋の名があった。

中間は木橋を渡るとすぐに、一軒の菓子屋に入った。源助町だ。

［近江屋］という屋号の軒看板には、〈名物とくさ餅〉と書かれている。

た。感づかれた様子ではない。勘兵衛は手近な天水桶の陰に身を隠して、しばらく待っ

やがて出てきた中間の手には、竹皮に包まれた包みがあった。使いで見張りの侍に会いに行き、駄賃でももらったかと勘兵衛は想像した。

5

やがて中間の草鞋《わらじ》は、汐留橋の足留め丸太を踏んだ。

先の七丁河岸は、つい先日に三杉堅太郎を舟に乗せた場所だ。木挽町七丁目にあるから、その名がある。

(や……!)

そのまま木挽町に入るとばかり思っていた中間が、橋を渡り終えると、いきなり右折した。それで橋上の勘兵衛からは、欄干の隙間ごしに見下ろすかたちになった。

血色のよい中年の中間が、まん丸い鼻の横顔を見せて進むのを、しばらく橋に佇んで勘兵衛は目だけで追った。

最初の角を左に折れた。

　勘兵衛は残り三間ほどの橋板を駆け下りる。橋杭のない汐留橋が、ゆさゆさと揺れた。

　角から半身を出して確かめる眼の先で、中間は横道に入り、勘兵衛がさらに追うと武家屋敷に消えた。

（これは……？）

　明らかに大名屋敷のようである。

　表道に戻り、勘兵衛は表門にまわってみた。

（ふうむ……）

　驚くしかない。

　放れ門（独立した門）であった。そして門の両脇の番所の屋根は破風《はふ》造りである。

　およそ六百家ほどある大名は、表門を見れば家格がわかる。

　十万石以上の国持ち大名でなければ、許されぬ門の造りであったのだ。

　国持ち大名と呼ばれるのは、わずかに二十家ほどである。ちなみに大野藩の場合は、国持ち大名とは呼ばない。越前という国の、ごく一部を領有する、というにすぎない。

（いったい、誰の？）

　首を、かしげるしかない。

福井藩でないのは、たしかだった。

ふと気づくと、前方がいやに賑やかだ。

そうか、あのあたりは、山村座をはじめとする浄瑠璃づくしの芝居小屋や芝居茶屋が櫛比するところであったな、と勘兵衛は気づいた。

そんな芝居客のおこぼれにでもあずかろうというように、いろんな小店が、こちらのほうにまで軒を連ねている。

小間物屋らしい店先で、打ち水をしている年増女がいた。

細縞の単衣に紺鉄《こんてつ》（鉄紺色）の夏帯をして、髷《まげ》には、海鼠《なまこ》絞りの手絡《てがら》と銀造りらしい笄《こうがい》をしている。使用人を置けるほどの店ではなさそうだから、店のかみさんであろうか。

「ちょっとお尋ねするが、向かいの御屋敷は、どちらさまの御屋敷でござろうか」

「ああ、松平越後守《えちごのかみ》さまの御屋敷だよ」

「ははあ……松平越後守さま、というと、越後高田《たかだ》の殿様の？」

「そうそう、御当主は、光長《みつなが》さまだよ」

（ふうむ……？）

これは妙な展開になってきた、と思っている勘兵衛に、

「殿様は、お国帰り中だけどね。なんでも、跡継ぎが死んじまったとかで、たいへんらしいよ」

聞きもしないのに、そんなことまで教えてくれた。

女に礼を述べて勘兵衛は、その場を離れた。


しばらくののち勘兵衛の姿は、甲府宰相浜屋敷の南にあった。

余談ながらこの甲府浜屋敷の当主は、三代将軍家光の三男として生まれた、松平綱《つな》重《しげ》である。

十七歳にして、甲斐国《かいのくに》甲府藩二十五万石に封じられた綱重が、この地を埋め立て別邸を建てたのが二十年ほど前だという。

その綱重は、長兄で四代将軍の家綱《いえつな》に子がないため、次代の将軍候補と取り沙汰されながら、大老の酒井忠清《さかいただきよ》の反対で実現せぬまま、これより三年後には急死する。

それはともかく、勘兵衛がここを訪れたのは、じっくり考え事をしたかったからだ。

思えば勘兵衛が江戸にきて、海というものを初めて見たのがこの地であった。

以来、考え事をしたり、初心を忘れぬためにも、ときおりここを訪れていたのである。

およそ半年ぶりにここへやってきて、勘兵衛は目を瞠《みは》った。

えらく光景が変わっている。

潮入地を埋め立てているせいだが、築地《つきじ》普請は、ずいぶん先のほうにまで及んで、海はすっかり遠のいていた。

それでも、ぷんと潮の香がして、遠い沖合では空と海とが渾然一体になっている。

（さて……）

手近にあった流木に腰掛け、勘兵衛は考えをめぐらせはじめた。

それがいったい、どう松平権蔵に絡んでくるのであろうか。

（越後高田藩……）

これまで、あの見張りの一団は越前福井藩の手だとばかり信じてきた勘兵衛は、まずそこから考えはじめねばならなかった。

越前福井藩も越後高田藩も、元はといえば家康の次男として生まれた結城秀康に端を発する。

高田藩は秀康の長男の家系であり、福井藩は次男の忠昌の家系であった。

（そして我が殿が、末っ子の六男にあらせられる……）

その大野藩の家士だから、そういった家系については、故郷清水町の家塾で教わっていた。

だが主君の親戚筋とはいえ、所詮は他国のことだから、勘兵衛にそれ以上の知識はない。

知っていることといえば、主君の松平直良が、越後高田藩主である松平光長の叔父にあたる、ということと、その光長の嫡子が、この一月に四十二歳で病死した、ということくらいでしかない。

（待てよ……）

松平権蔵にとっても、我が主君は叔父にあたったな、と、ひとつ共通項に気づいた勘兵衛であったが、その先に思考の糸が伸びていかない。

ひととき、もどかしい時間を過ごしたのち、勘兵衛は木ぎれで、地面に越前松平家の家系略図を書いてみた。（6ページ参照）

そしてひととき――。

（ふむ）

この三月に自刃した権蔵の父、松平光通に注目してみた。前の越前福井藩主である。

（たしか……）

光通の正室は、光長の娘ではなかったか。

一瞬、二つを結ぶ糸がつながったように思えたが、次には、新たな謎が行く手を塞ぐ。

まずは越後高田藩が、我が藩邸を見張る理由が見えてこない。というより、権蔵に、どう関わってくるのか。

いや、ちらり、とではあるが勘兵衛は、比企からこんな話を聞いたことがある。

それは、ほかならぬ松平権蔵が、なぜ福井から姿をくらましたか、という根幹に関わる事情だった。

まずは父の松平光通から押し込めに遭いそうになった、というのがある。

勘兵衛自身は、この説を信じていた。

もうひとつの説もある。

越後高田藩主である松平光長から、権蔵に刺客が放たれたから、というものだ。

なぜ刺客が放たれたかについては、もっともらしい理由がついていた。

しかし、その理由というのが、なんともばかばかしいかぎりで、とても信じられるものではなかった。

しかし、あの見張りの一団が越後高田藩に関わりがあるらしいとわかった今、これを、木に竹を接《つ》ぐような話だと、切り捨てるわけにはいくまい、と勘兵衛は思い直した。

待てよ――。

百歩譲って、それが理由だったとしよう。

（いや、やはり納得のいかぬ話だぞ）

なにより、越後高田藩は現在、後継者を失って、それどころではない状況のはずではないか。

それとも――。

（もっとほかに、権蔵を狙う陰の事情でもあるというのか……）

結局、勘兵衛にはお手上げであった。

いずれにせよ、ここでこうして、いくら考えたとしても答えが出ないことが、はっきりした。

もし、陰の事情があるとすれば、まずはそれを探らねばならない。

（すると……）

真っ先に浮かんだのは、松田の顔である。

江戸留守居という役職柄、情報通であった。

だが、きょう松田は他出中で、いつ戻るともわからない。

（そうだ）

思わず勘兵衛は背後を振り向いた。

人家がひしめく町屋根の向こうに、無数の七堂伽藍がひしめいている。増上寺であった。

（菊池どのが、おられるではないか……）

増上寺掃除番は隠れ蓑、大目付の耳となって、天下の噂を集めている人物であった。

敵の正体

1

浜松町を抜け、芝の大門から増上寺に入った。

相変わらず、参詣客が絶えない。

山門に向けてまっすぐ進んでいくと、左右に松原が続く。勘兵衛は松原に沿って南へ歩いた。

いつの間にか蟬の声を聞かぬようになったな、と思う勘兵衛の耳に、高みから百舌《もず》の高鳴きが聞こえてきた。

（ほう）

もうすっかり秋か、と勘兵衛は気づかされた。

そういえば、燕の姿も見なくなった。

音も立てず、刻《とき》は、さらさらと零《こぼ》れ落ちているのだ。

菊池は、蓮池下の掛け茶屋が集まるあたりにいつもいる。

赤羽の広小路門から近いところに、こんもりした竹林があり、脇には両手を広げて余るほどの大きな石があった。

菊池は紺の単衣を尻っ端折りにした姿で、その石に腰掛けていた。脇には竹箒が立てかけられている。

勘兵衛が近寄っていくと、すでに気づいていたか、菊池は目を笑わせた。

そして、いきなり言った。

「やあ、やあ、ようやくお越しか」

「は?」

まるで、勘兵衛がくるのを知っていたような口ぶりではないか。

「なんだ、わしに用ではなかったのか」

「いえ、ちと、お教え願いたきことがございまして、やってまいりました」

「やはりな。愛宕下の藪蚊の件か」

「えっ」

図星を指されて、勘兵衛は絶句した。

そして――。

次に、あっ、と思った。

勘兵衛が、猿屋町で偶然に菊池に出会ったのは六日前のことである。

そのとき菊池は、たしか愛宕下の藪蚊うんぬん、というようなことを話したのを思いだしたのだ。

そのとき勘兵衛は、菊池から若殿の悪しき行状のことを教えられ、心ここにあらずの状態であった。そのため、うっかり聞き過ごしていたのであったが――。

――困ったことがあれば相談をされよ。

そう菊池が言ったことまで思いだしていた。

「そうです。遅ればせながら、ご相談に参上した次第です」

まことに汗顔のいたりであった。

「よし。ちと待たれよ」

言うと菊池は立ち上がり、すたすたと手近な水茶屋に入り、やがて戻ってくると言った。

「場所を変えようか」

水茶屋にでも誘われるかと思ったら、案内されたのは柴垣で囲まれた小さな建物だった。

「茅屋《ぼうおく》だが、わしの詰め所のようなものだ。誰もこぬし、なにを話そうとも聞く者はおらん」

というこどらしい。

道道、菊池に教えを乞う順序は決めてきた。

だが、松平権蔵のことについて悟られてはならない。このあたりがむずかしい。

「では、さっそくですが……、あの藪蚊どもの隠れ家のようなものを、ようやく突き止めました」

「ほう。で、正体のほうもわかったか」

「いや、それがはっきりいたしません。しかし……あるいは、越後のほうから飛びきたったものではないか、などとも思っております」

「ふうーん」

菊池は感心したとも、馬鹿にしたともつかぬ調子の声を出し、

「いやいや感心いたしたのじゃ。そこまで調べがついたのなら、拙者が教えることなど、ひとつもないではないか」

この時点で、勘兵衛が道道に考えてきた順序など、とうに飛び越えてしまっていた。

すでに菊池は、あの藪蚊どもが越後高田藩と関わりがある、と知っていたようである。

（こりゃ、端倪《たんげい》すべからざる御仁だぞ……）

改めて、畏敬の念が湧いてきた。

常日頃から、

——親しくして、損のない人物じゃ。

松田が言う意味が、わかったような気がする。

ならば［冬瓜の次郎吉］が苦労して突き止めてきた、藪蚊の巣についても知っていようか……。

それで、まずその話を出した。

「ふむ、平川天神の私塾だというか」

菊池は少し首をかしげ、なぜか、ふっと笑いを滲ませた。

「はい、なんでも陽明学を教える相澤梅紅という学者の家だそうでございます」

「陽明学の……相澤梅紅」

菊池は遠くを見るような目になって、しばらく天を仰いだ。

そして——。

「なるほどのう」

やがて、にっこり笑った。

「相澤梅紅を、ご存じでありますか」

「うん、うん」

言いながら、ちょっと待て、というように片手を上げた。

かたかたと下駄の音が近づいてくる。

「おじさん、いーい」

やがて開け放したままの戸口に女が現われて、甘ったるい声を出した。

「おう、おすぎちゃん、すまねえな。ずーんと入って、こっちに持ってきてくんな」

「あーい」

片手に盆を持ち、もう片方に土瓶を提げた女は、霰《あられ》小紋に赤前垂れで、麻の葉の帯をしている。茶屋女のようだ。

かたかた鳴るのは黒塗りの下駄、髪には笄と大櫛をしているが、その大櫛が驚くほど大きく見える。おすぎ、と呼ばれた茶屋女の顔が小さいためである。

年のころは、まだ十四か十五、茶屋女というよりは少女のように見える。

「よしよし、そのあたりに置いといてくれ。どうだ、おすぎちゃん、ほれ、若くていい男だぞ。引き合わせてやろうか」

「引き合わせてもらったって、相手がお武家さんじゃ、にせをちぎるってわけにゃ、いかないじゃないか」

「おおっ、いっちょうまえの口をきくじゃないか。この間まで、暑い暑いって裾をからげてぱたぱたやってよう、おまえは気づかなかったろうが、船玉《ふなだま》さんが見えてたぜ」

「ま、やなおじさん」

おすぎは、赤い前垂れで、ぱっと顔を隠したと思ったら、そのまま表に飛び出していった。

かんかんかん、と石畳を踏む下駄音が遠ざかっていく。

「ハハ……、退屈なものでな。いつもああやって、からかっておる」

言いながら菊池は盆を引き、土瓶から湯呑みに茶を注ぎ分けた。盆には餡にまぶした団子の小皿も二つ載っていた。

先ほど菊池が水茶屋に立ち寄ったのは、これを頼んでいたらしい。

「まあ、やってくれ。ここの糸切り団子は、けっこういけるんだ」

言って竹べらで、餡ごと団子を掬いとって口に放り込み、ずずっと茶を啜ってから、

「うん、相澤梅紅のことだったな」

「はい」

「ずいぶんと昔のことで忘れておったが、その名には覚えがある」

「…………」

「もう十数年も昔のことだが、熊沢蕃山が京で私塾を開いていたころのことだ」

「はあ……」

えらく昔の話であった。

「当時、蕃山は公家《くげ》や諸大夫《しょだいぶ》たちとの交わりが深く、もって幕府《おかみ》から疑惑の目で見られておった……」

若き日の菊池は命を受け、京に出向いて蕃山の周辺を探索したことがある、と続けた。

「弟子の内には町人や武士も多かったが、相澤梅紅も、その内の一人だ」

「ほう」

「しかも、まんざら、勘兵衛どのと無縁ではない。いやはや、これは奇遇と言うべきかな」

「さて、どのような縁でございましょうか」

「それよ。梅紅の父親は相澤玄白《げんぱく》というてな……その名に、心当たりはないか」

「さて……相澤玄白……？」

覚えがなかった。

「そうか。越前と越後は離れておるからな」

「ははあ……」

謎のようなことを言う、と思った。

「越後に、このような俚諺《うた》があるんだ。〈糸魚川には名物がござる。豆腐、玄白、稚児の舞〉と、いうんだがな」

「その玄白、というのが相澤玄白のことでしょうか」

「そうよ。北陸道一番の名医として名高い御仁で、越後高田領の糸魚川役所の藩医だったひとだ。今は二代目が継いでおるそうだが」

「なんと……」

まさに、どんぴしゃりと越後高田に繋がったではないか。

「その玄白は、元はといえば福井藩の藩医であったのだ。もっとも、松平忠直卿《ただなおきょう》のころだがな」

忠直の子である松平光長が越後高田に国替えのとき、伴《とも》をして移ったということらしい。

忠直卿は主君の長兄である。その忠直卿が豊後《ぶんご》（大分）に配流のとき玄白も従い、

「なんと……」

（ふうむ……）

勘兵衛は、しきりに考えをめぐらせた。

はっきりしたことを整理すると、次のようになる。

あの見張りの一団は、越後高田藩にゆかりのある相澤梅紅の私塾を塒としている。

その見張りのところへ、越後高田藩江戸屋敷から、中間が使いに出た。

だが、肝心のわけがわからぬ。

「それに……」

いたしましても、と続けようと思った勘兵衛に、一瞬早く菊池の声がかぶさった。

「なるほど、平川天満宮にのう……、お、なにか言うたか」

「いえいえ、平川天満宮が、どうかいたしましたか」

「いや、なにほどのことはない。愛宕下の藪蚊の巣は、松平越後（光長）の下屋敷らしいと踏んでおったのだが、そのような隠れ家も持っておったか、と思うてな」

「お待ち下さい。その下屋敷というのは……？」

「おい、しっかりされよ。その平川天神の門前が、三万坪もあろうかという松平越後守の下屋敷ではないか」

「えっ！」

驚きのあまり、声も出ない。

「それだけではないぞ」

追い打ちがかかる。

「天神さまの北にもな、一万坪ばかりの土地が下されておる。こちらは、松平越後守の御家中の屋敷地として使われておる。他にも麻布のほうに中屋敷があるんだ」

これは、なんということだ、と勘兵衛は思った。

平川天満宮のあたりを探っておけば、容易にわかったことが、思わぬ恥をかいたものだ。

だが、これで、ひとつの謎は解けた。

[冬瓜の次郎吉]が、しきりに頭をひねっていた、見張りの総勢からして[鴬鳴塾]では器が小さすぎる、という点である。

なんのことはない。[鴬鳴塾]を塒に見せかけて、夜中には本来の住処へ戻っていたものと思われる。もとより、尾行を受けたとしても、正体を韜晦《とうかい》するためであろう。

考えこんでいる勘兵衛に、

「先ほど、なにか、言いかけたようだが……」

「いえ、なんでもございません」

さっきは、思わず、

（それにしても、なぜ越後高田藩が我が屋敷を見張っているのか――）

というようなことを言いかけたのだが、これは、とんだやぶ蛇になるところであった。

なぜ見張られるのか、その理由ならわかっている。

松平権蔵だ。

だが、なぜ越後高田藩が……となると、これは依然として謎であった。

（松平権蔵の名を出さずに……）

菊池から、越後高田藩に関する情報を聞き出す方法はないものか、と考えるのだが、妙案は出ない。

すると――。

「さて、ところで、なにゆえ越後の連中がのう……、勘兵衛どのに心当たりは、あられるか」

　逆に菊池から尋ねられてしまった。

「そこのところがわからず、弱っております」

　そう答えるしか、仕方がないではないか。

　ところが菊池は、

「ほっ、ほうー」

　まるでふくろうが鳴くような声を出した。勘兵衛は、まるで嘲《あざけ》られたような気分になった。

「菊池さまには、なにか目星でもございましょうか」

「さて、と……」

　言って菊池は、団子の小皿を引き寄せた。

　すでに団子は跡形もなく、餡だけが少しばかり張りついた小皿を、である。

　そして竹べらで、その餡を薄く伸ばすようなことをした。

「…………?」

「あら、よっと」

　次に大道の砂絵描きが発するような掛け声をかけ、菊池は左手で右の肩口のところで袖を引き上げ、竹べらを筆のように持った右手を構える。

そして小皿の餡に、なにかを書きつけはじめたではないか。

（コ……）

じっと見つめる勘兵衛の視線の先で、片仮名文字に濁点が打たれ、さらにもう一文字が書き加えられた。

次には、目を剝いた。

いや、それではすまない。おそらくは顔色も変わったのではないか。

小皿に書かれた文字は――。

〈ゴン〉

まさに、権蔵を指しているとしか思えなかった。

2

「そう、こわい顔をするな」

菊池は笑ったが、勘兵衛には、それどころではなかった。

どう対応すればよいのか、というより、声も出ない。

「さぞ、心配であろうから、種明かしをいたしておこうか」

「ぜひにも……」

　ようやく声が出た。

「ここだけの話にしてほしいが、拙者がついておるお方は、大岡忠勝《おおおかただかつ》さまじゃ」

「大岡忠勝さま？」

「うむ、大目付のな」

「ははあ、大目付……」

「その大岡さまに、堀田備中守さまより命《めい》があってな。それが、わしがところに下ってきたというわけだ」

「あ、堀田さまといわれますと、若年寄の……？」

「うむ。どうだ。得心はいったか」

「むう……」

　唸るほかはない。

　次には緊張が解けた。

　その話は、松田から聞いていた。

　松田が老中の稲葉正則に松平権蔵のことを打ち明けたところ、若年寄の堀田正則にも話を通しておけ、との指示を得た。

そこで松田は、堀田と「和田平」で密かに会っている。その場で、松田は愛宕下の藪蚊のことも堀田に打ち明けている。

堀田はさっそく、藪蚊の正体を調べようと思ったようだ。

それで堀田から大目付の大岡に話がまわり、菊池に探索の命が下ったのだと知れた。

「いや、参りました」

それにしても……と勘兵衛は思う。

胸の内で、指を折った。

松田が「和田平」で若年寄と密談した日より、十日と少ししかたっていない。

（それなのに、もう……）

菊池は藪蚊の正体を越後高田藩と、それも発生地は平川町の下屋敷と察しをつけたようである。

（やはり、ただ者ではない）

勘兵衛は、ますます畏敬の念が湧いてきた。

次に――。

（これで、聞きやすくなる）

そう思った。

「しかし、なにゆえ越後高田藩が……その……」

〈ゴン〉と書かれた小皿を指して勘兵衛は、

「いかなる事情がございますのやら？」

「おやおや？」

菊池は不思議そうな顔になって、

「とんと、推量はつかぬかな？」

「いや……はい……まさか［高田殿］が出てくるわけではございませぬな」

「なんだ。知っておるのではないか」

「えっ、いや……まさか」

「その、まさかじゃよ」

この会話には、少しばかり注釈がいろう。

ここで話に出た［高田殿］は、二代将軍徳川秀忠《ひでただ》の娘の勝姫《かつひめ》のことである。

さて勝姫は越後高田藩主、松平光長の生母で、将軍の娘でもあるから江戸に屋敷を与えられ［高田殿］と呼ばれた。

将軍の娘ではあるし、権柄ずくなところのある人物だった。

子の光長には一男二女があったが、長女の国姫《くにひめ》は美貌と和歌の才に恵まれて、その名は朝廷にまで聞こえていた。そんなこともあり［高田殿］は、この孫娘をたいそうかわいがっていた。

これが、かえって国姫を追いつめる。

というのは、国姫が、福井藩主の松平光通に嫁することが決まったとき、すでに光通には側女との間に生まれた男児がいた。松平権蔵である。

妾の産んだ子がいるところに、愛する孫娘などやれぬと［高田殿］の逆鱗に触れた光通は、あろうことか実子の権蔵を隠したうえに――。

――自分には、隠し子などおりませぬ。

との起請文まで幕府に届け、国姫との間に生まれた子に必ず跡を継がせる、との約束までしてしまった。

ところが、である。

国姫との間に二人の子が生まれたものの、いずれも女児で、どうしても男児に恵まれない。

あわれ国姫は、夫の光通と祖母の［高田殿］の間に挟まれて、とうとう自殺してしまう。三年前のことだ。

かわいい孫を失って［高田殿］は激怒した。愛娘を失った光長とて同じである。

しかも国姫の死の翌年に、その［高田殿］も没した。

七十二歳というから大往生のはずなのに、これを光通と、その隠し子である権蔵に対する〈憤死〉だ、という者がいる。

その権蔵は［高田殿］が没した翌年、つまりは昨年に福井を出奔して行方をくらまし、それを苦にした権蔵の父、光通が今年自殺して果てた。

ところで僅かに九歳で二十六万石の越後高田藩主となった光長は、藩政のことは重臣にまかせきりで、江戸で暮らすことが長かった。

これが影響して光長は、六十歳になった今も、まるで主体性というものがない。重臣たちにまかせきりというより、ほとんど言いなりなのである。

越後高田藩には家老が三人いて、筆頭家老の小栗美作《おぐりみまさか》は一万七千石、次席家老の荻《おぎ》田主馬《たしゆめ》が一万四千石、糸魚川《いといがわ》城代を兼ねる岡嶋壱岐《おかじまいき》が一万石と、三人が三人とも大名並の高禄で、たった三人で藩石高の一割二分を占めている。よって知るべし、というところだ。

つまり光長は、現代《いま》でいうところのぼんぼんで、おまけにマザコンであったらしい。

そんな男が――。

愛娘《まなむすめ》の国姫が死んだのも、母が死んだのも、これすべて、元凶は、あの松平権蔵のせいだと思いこんだあげくに――。

――たれか、あのにっくき権蔵めを討ち取れ！

ということになって、刺客が放たれた、というのだ。

いや、これは噂である。

いわば、坊主憎けりゃ袈裟まで憎い、のたぐいの話で、現実に、そのような無体《むたい》な話はないであろう――。

と勘兵衛は信じていた。

というより、それが常識というものだろう。

しかし――。

「百人のひとがいれば、百の常識があってな」

と菊池は言った。

「はあ、ですが……」

やはり勘兵衛には、納得がいかない。

「だが、現に、ああして愛宕下を見張っておるではないか」

そう言われれば、そのとおりなのである。

「考えてもみよ。越後守光長どのは三年前に愛娘を失い、二年前には母堂を失い、そして今年には嫡子を失った。まあ、立て続けに不幸が重なったわけだ。はてさて、そのようなとき、人の心には、ふっと悪魔が棲みつくものよ」

「すると、悲しみが高じて乱心されたと……」

そのようにも考えられるのか、と勘兵衛は思ったが——。

「しかしご乱心ならば、御重役たちが、それを放置するわけはなかろうと思います。なにしろ次の世継をどうするかという、大切な時期でございましょう。主体性がなく、御重役たちの言いなりの殿様であれば、なおのことでございます」

「そう、そこのところじゃな」

菊池は、うっすらと笑った。

勘兵衛は、混乱していた。

まるで冥暗《めいあん》の辻で、自分が進むべき方向が見いだせず、ただ、なすすべもなく立ちつくしているような気分だった。

（せめて、一条の光明でも差せば……）

手探っている内に、ふと気づいたのは、自分があまりにも越後高田藩の内情に暗いことだった。

たとえば越前福井藩の場合も、脱藩者の三杉堅太郎から教えられるまで、後継者問題が三つ巴《みつどもえ》になっていることも知らなかったのである。

そこで、菊池に尋ねてみた。

「ところで、越後高田では御嫡男が亡くなられたあと、後継者問題は、どうなっておりましょうか」

「ふむ！　そこが肝心じゃ」

菊池は莞爾《かんじ》とした。

「越後（光長）には、綱賢《つなかた》という嫡男が一人きりで、それが、この正月に病死した。四十二歳であった」

「はい」

「そのとき越後は国帰り中で、伜の死を看取ったらしいが、この五月、予定より一月《ひとつき》遅れで江戸に到着した」

「ははあ、すると……」

菊池が言わんとすることは、勘兵衛の胸に届いた。

世継ぎの死という緊急事態にもかかわらず、参勤交代の予定は、僅かに一ヶ月の延期ですんでいる。

「すでに、新たな後継者は決まったということでございましょうか」

さらには、その五月より、愛宕下に藪蚊が現われはじめたことも見過ごせない。

「ま、そう見るのが妥当であろうな」

「どんなふうに、決着がついたのでしょう?」

「そこまではわからぬ。まあ、これは、あくまで噂にすぎないが……」

「はい」

菊池の話を整理すると、次のようになる。

3

越後高田藩主、松平光長の後継者候補は、四人いたそうだ。

松平光長には三人の異母弟妹がいる。

これは父の忠直が豊後に配流されたとき、現地の側女に生ませた子供たちで、忠直の死後、高田に引き取られている。

上から順に、永見《ながみ》市正《いちのかみ》、永見大蔵《おおくら》、おかんといった。

市正には二千石、大蔵には千石を与えて客分に、そしておかんは、筆頭家老の小栗美作に嫁がせるという処遇であった。

だが、現在の時点で市正は没し、その子で十五歳の万徳丸《まんとくまる》、さらには四十三歳になる大蔵、そしておかんが産んだ小栗の嫡男で十三歳の掃部《かもん》、この三人は越後高田藩にとっては家門にあたるから、当然候補者であった。

さらにもう一人の候補は、尾張大納言光友《みつとも》の次男で、信濃に三万石の領地を持つ松平義行《よしゆき》である。

義行は光長とは直接の血縁関係はないが、遠縁を頼って新藩主に迎えることは、よくあって、それで候補者となったのであろう。

「すでにもう、越後は六十になっておるから、これから頑張るわけにもいかず、まずはこの四人の内から、養子を選ばねばならぬのだが……」

菊池は土瓶から、残り茶を注いで、ぐびりとやった。

それから、試すような口ぶりになった。

「当たるも八卦当たらぬも八卦じゃ。勘兵衛どのなら、この結果、どうなったと思うな」

「はて……、それはむずかしゅうございますな。しかし、まず、小栗掃部という線はないような気がいたします」

「ほほう」

　菊池は驚いた声を出した。

　勘兵衛は幼いころから、故郷で主家の家督争いを見てきている。片方の家老が親戚筋から養子を引っ張ってくれば、もう片方の家老は、これに対抗して……といった権力闘争の構図である。

「なにゆえ、そう思われるな」

　菊池の問いに勘兵衛は答えた。

「さしたる根拠などはございませんが、これまでに聞きましたるところによると、三人の家老の内、いちばんの権力者は小栗美作だと思われます。それが、さらに、その嫡男が藩主の御養子になどとなると、残る二人の家老が黙っているはずはありますまい。ところが、どうやら、すんなりと決着がついたご様子……となると、と考えたのですが……」

「いや、これはご慧眼、さよう、越後高田の跡継ぎに決まったは永見市正の遺児、万徳丸。いや、これは噂だぞ、噂にすぎぬのだが……」

　噂、噂を連発しているが、菊池が口にしているのは、根拠のある最新情報なのだろう、と勘兵衛は信じていた。

「その万徳丸を、強く推したのが筆頭家老の小栗美作だったそうで、これではほかの家老たちも否やは言えなかったようだな」

「そうですか。我が子ではなく……ですか。いや、なかなか立派な御家老さまではありませんか」

「さて、そうかな？」

思いがけず皮肉な調子に、勘兵衛は驚いた。

「小栗美作は、若いがなかなかの遣り手だそうだ。だが、やりすぎるところもある。越後は寛文の地震で大きな被害を出したせいもあるが、越後さまの重税、と呼ばれて領民の怨嗟の声は満ち満ちておるし、家中は家中で、知行米から蔵米取りに無理に転換させられて、大きな恨みを抱いておる。これすべて、美作のなせる業《わざ》だそうだ」

「…………」

知行米だと知行地を領して、そこからとれる米は石高を上まわることが多いし、小《こ》物成《ものなり》（米以外の年貢）も収入となるが、蔵米取りだと、そうはいかない。

知行地があれば、年貢というかたちで米以外の産物から雑収入を得られるのに対し、決められた米しか受け取れない蔵米取りだと、その収入は大幅に減じるのであった。

「つまりは、頭は切れるが、情け容赦のない男でな。それに、なかなかの策謀家だ。

こたび我が子ではなく、万徳丸を世継ぎに推したにしても、なんらかの計算が働いている、と俺は見るがな」

「ははあ……」

相槌は打ったが勘兵衛に、小栗美作、という男の実像を思い浮べることはできなかった。

そんなことより——。

(小栗美作のことなどは、どうでもよいのだ……)

どうも変な方向へ話が逸れてしまった、という気がした。

「その美作が、越後守光長どのを焚きつけた、とは考えられないか」

「えっ!」

一瞬、勘兵衛には菊池が口にしたことの意味が、よくつかめなかった。

「家老が、止めるどころか、焚きつけたと……?」

「そう考えると、おもしろいだろう」

「おもしろいとか、おもしろくないとかの話ではありません。第一、平仄《ひょうそく》が合わぬというか、理由がないじゃありませんか」

「理由なら、あるさ」

勘兵衛は、なにやら興奮を覚えていた。ことばつきまでが、荒くなっている。

「おもねる。こびる。寵臣であろうとする者の、常套手段ではないか。越後守光長どのは、娘や母ばかりでなく、息子までなくした。不幸が続くなか、その原因を作った張本人の、憎っくき権蔵を討ち果たし、せめて気を晴らして差し上げる、とささやけば、どうなろうかな」

「どんな……？」

「そんな！」

半ば叫ぶように勘兵衛は反駁した。

「理由もなにも、それは単なる想像でありましょう。根拠がございますのか」

「うむ。理由は想像でも、根拠ならあるぞ」

菊池にきっぱり言われて、勘兵衛は息を呑む。

まずは大きく息を吸い、ゆっくりゆっくり吐き出した。二度、三度と続けるうちに、胸を騒がせていた大波も、おさまっていった。

「その、根拠というのをお教え願えませんか」

「そのつもりだ」

菊池も静かに答えた。

「ところで勘兵衛どのは、愛宕下の藪蚊の内に六尺豊かな大男がいたのを、ご存じか」

「ああ、そういえば……」

なかに図抜けた大男がいたな、とは思ったが、特別に印象に残っているわけではない。

「ここんところにな……」

菊池は左手首の表側を、右掌でさすりながら言う。

「一文銭ほどの大きさの黒痣《あざ》があって、そこにびっしり毛が生えた男だ」

「いや、そこまでは観察が行き届きませんでした」

「そうか。実はわしは、その男と声を交わしたことがある」

「え……まことですか」

「うむ。まだ梅雨のころだ。いつもの腰掛け岩にいたところ、〈どっと笑うて立つ波風の、荒き折ふし義経公は――〉と〈源平軍談〉を歌いながら通りかかった侍がおってな」

「はあ……？」

「こりゃ相川《あいかわ》音頭だな、と思ったから、佐渡から来られましたか、と声をかけてみた」

勘兵衛は知らぬことだが、相川音頭は、相川金山を差配する佐渡奉行所から広まったものである。

「すると六尺の大男が照れながら、いやあ、ショウシ（恥ずかしい）、ショウシ、佐渡ではねぐて、越後の頸城《くびき》からでがんす、と答えよった」

「ははあ……」

「ま、そのときはそのときで終わったのだが、その男に、また会うた」

「……………」

「隠してもはじまらぬから、有り体《あてい》に言うと、大岡忠勝さまの命で探索にかかり、半蔵御門前麴町通りの居酒屋に行ったときのことだ」

「居酒屋でございますか」

「うん。そこに越後守光長どのの御家中が、よく出入りすると聞き込んだでな。なにか手がかりはつかめぬかと、連日通い詰めておった」

「そこで大男を……」

「そうよ。あと二人の仲間と飲んでおったのだが、そのうち、ちょっとした騒ぎが起こってな」

居酒屋の小上がりに五人の武士の別の一団がいて、帰りがけに大男たちに、

――おまえら、近ごろ、なにをこそこそやっておるのだ。

というような、いちゃもんをつけたそうな。

それに対して大男のほうからは、

――人のことは放っておけ。

――なにを、この頸城の又者《またもの》が、江戸にきて大きな顔をさらすな。

又者とは陪臣、すなわち家来の家来ということだ。

――又者とはなんだ、我らは与力として預けられた者。歴とした直参だ。又者扱いをすると許さんぞ。

というような展開が、あったのだという。

「ま、双方ともに止める者があり、それで騒ぎは収まったのだがな……」

「ははあ……すると……あの藪蚊どもは、頸城の又者、と呼ばれる者たち……ということになるのですな」

もちろん、勘兵衛にはさっぱり意味がわからない。

「というても勘兵衛どのにはわからぬだろうが、越後高田藩には独特の制があってな」

三家老および与力大将と称される侍大将たちには、主君から、それぞれ与力が預けられる、という制度になっている。

具体的な数は、小栗美作が六十騎、荻田主馬が五十騎、岡嶋壱岐が三十騎……ということらしい。

「で、頚城というは越後国頚城郡のことで、ここは古くより小栗美作の知行地である」

「なんと……。では、あの藪蚊たちは、小栗美作の与力たちだとおっしゃいますか」

「ほかに、どう考えよというのだ」

「いや、その……、まことに……」

こりゃ、決定的だな、と勘兵衛は思った。

これまで愛宕下を見張る者たちは、権蔵を目当ての脱藩者を嫌う、福井藩から差し向けられたものとばかり思いこんでいた。

そのため見透かすことのできなかった冥暗の辻が、今や十分なほどの光明にあふれて、敵の姿が鮮やかに現われ出《い》でた感がある。

(越後高田藩……)

今、勘兵衛の胸中に、その名が強く刻み込まれた。

4

「して、その、小栗美作という家老、今は江戸に……」

さて、どうしてくれよう、と思いながら勘兵衛は尋ねた。

「いや。美作は越後高田にいる」

「高田ですか」

ならば、手も足も出ない。

「しかし、美作の腹心なら江戸におる」

「誰でしょう」

「うん。まずは美作の妹が嫁いだ先で、三千五百石の本多監物《ほんだけんもつ》だ。これが江戸留守居」

「江戸留守居役ですか……」

大物である。

「もう一人、美作の末弟で小栗一学《いちがく》というのがいてな。こちらは下屋敷の用人をしておる。さしずめこやつが、藪蚊どもの大将みたいなものかな」

「小栗一学ですな」

「うむ。だが、おい、あまり無茶をしでかすではないぞ」

勘兵衛の表情から、なにを読み取ったか、菊池が心配そうな声を出す。

「もちろんです。こちらから、ことを仕掛けるつもりはございません。それにしても、いやあ、菊池さんはすごいですね。わずかな時日で、これだけのことを調べ上げるとは……。いや、まさに感服いたしました」

「ん……」

勘兵衛としては、素直に誉めたつもりであったが、菊池はことばに詰まり、

「いやいや」

とこそばゆそうな表情になった。

「ま、いろいろ言うたが、正直なところ、無理にも木を接がせたようなところがないでもない。いろいろ調べた結果はそうでも、なにしろ、確たる証拠があるわけではない」

これまで雄弁であった菊池が、ここにきて、妙に凋《しぼ》んでいくような発言をしたのであるが、勘兵衛は、そのことを特に奇異とは感じなかった。

さらに菊池は続けた。

「ま、もし勘兵衛どののほうで、これ、という証拠でもつかめば、拙者がところに報《しら》せてくれれば悪いようにはしない。我が大目付を動かす、という手もあるからな」

「ありがとうございます。その節は、よろしくお願いします」

これにも勘兵衛は、素直に応じた。

「ところで先ほど言われた、麹町の居酒屋は、なんという屋号でございましょうか」

自分は顔を知られているから行けぬが、誰かに頼みでもして、張り込む価値はある、と思っていた。

「おう、それなら［武蔵屋］という」

勘兵衛は、かたがた、菊池に礼を述べ、増上寺の茅屋を出た。


これは一刻も早く、松田さまの耳に入れねばならぬ。

軽い興奮と高揚感で、今にも走りださんばかりに勘兵衛は増上寺内を急いだ。

菊池とは、およそ一刻ばかりも話しこんだろうか。

それで、もう午後の陽は大きく西空に傾こうとしている。それでなくとも、秋の日は短いのだ。

それにしては、長い一日であったな、と勘兵衛は、いささか矛盾したことを考えている。

午前に火盗与力の江坂がきて、情報を得た。

早めの中食をとって愛宕下の江戸屋敷に向かい、そのあとは中間のあとをつけて木挽町に行き、芝口南の海を見て増上寺へという一日であった。

（だが、その一日で……）

劇的、とも思えるほどの情報を得たのである。心象に映る景色は、一変していた。

（松田さまは、もう、お帰りであろうか）

いや、帰ってこられるまで待つぞ、と思っている勘兵衛である。

だが、この長い一日は、まだまだ終わりを告げないのであった。

増上寺の山門を左に見ながら、松並木沿いに、どんどん北へ進む。二王門も過ぎた。

やがて小さな入り堀を橋で渡れば左手に、この三縁山増上寺の御本坊である広度院の方丈、伽藍が聳える。愛宕下へ通じる中門は、その脇にあった。

中門を出ると勘兵衛は、いつものように足取りをゆるめた。

その広道にも、葦簀張りの水茶屋や屋台店などがひしめいている。

のんびり歩を進めているふうを装いながらも、周囲への目配りを忘れぬ勘兵衛であった。

が――。

「おや？」

勘兵衛の眉が、僅かに上がった。

松蓮社《しょうれんしゃ》は増上寺寺中のひとつで浄土宗の寺であるが、そこからはじまる芝切り通しへの道に、いつもの網代笠の姿がない。

「ふむ……？」

不審を感じた勘兵衛は、そのまま切り通しの坂を上り、時の鐘のところまで行ってみたが、やはり見当たらぬ。

（はてさて……？）

勘兵衛は首をひねった。

まだこのとき勘兵衛は、ことの重大さに気づいてはいなかったが、隣りの青松寺門前からも見張りが消えていることを知った。

（これは……！）

俄然、心が騒いだ。

ついには江戸屋敷を通り越し、愛宕権現への橋を渡り、山門の裏まで確かめたが、ここにも見張りの姿はない。

ついには藪小路まで走りだしたが、ここも蛻《もぬけ》の殻だった。
（どういうことだ……？）
さまざまな考えが、一気に濁流となって胸の内になだれこみ、勘兵衛は惑乱した。
（落ち着け。落ち着いて考えねばならぬ……）
ふと気づくと、烏森神社の境内だった。狭い境内の、楠の根方に座り込んでいる。
思考の濁流に翻弄され、自らが蛻《もぬけ》（虫などの抜け殻）みたいになって、知らぬ間
にここまできたらしい。
（見張りたちは、九ツ半（午後一時）ごろまでは、確かにおった……）
そのことにまちがいはない。
なにしろ勘兵衛は、愛宕権現の見張りのところにやってきた、中間のあとをつけた
のだから。
（そうか。あの中間か！）
あの中間は〈見張りを解け〉という指示を伝えにきた使い、と考えるのが妥当では
ないか。
（では、なにゆえに見張りを解いたのか）
我らの動きを察知したからか？

（わからぬ……）

江坂の意を受けて、火盗与力付き人の［冬瓜の次郎吉］が動いた。

大目付の命で、菊池兵衛も動いている。

（いや、なんとなく、ちがうな）

それなら、もっと早くに見張りが解かれていてもいいはずだ。

（なにかが、あった……）

「あっ！」

思わず勘兵衛は立ち上がっていた。

松平権蔵の隠れ家を、察知されたのではないか。

（まさかとは思うが……）

勘兵衛は鳥居をくぐり、細い石畳の道を駆けていた。

5

三十間堀の船宿で急ぎの舟を仕立て、勘兵衛が横川の業平《なりひら》橋袂で舟を下りたときは、もう夜になっていた。

船頭が途中で点じた舳先の舟行灯《ふなあんどん》が、黒い川水を照らしている。

「ご苦労であった」

船頭をねぎらい、勘兵衛は木板と盛り土で固めた粗末な船着き場の階段を上がった。

頭上には、藍と墨とを混ぜたような夜空が広がっている。

だが月明かりで、足元は確かだ。つい三日前が、仲秋の名月であった。

陸に上がったところは横川町と呼ばれるあたりで、瓦焼き場に混じって、御家人たちの屋敷もある。西にこんもり黒ぐろと杜《もり》が立ちはだかっているのは、業平天神だ。

静かである。どこかから犬の遠吠えが届いてきただけだ。少し南に番屋があるらしく、そこから僅かに灯が漏れていた。

しばらく佇んで、周囲の気配を読んだ。

異常はない。

それだけを確かめてから、勘兵衛は、東に向けて橋を渡った。

渡ったところで振り向くと、船着き場の舟は、舟行灯の火を落としていた。ぽっ、ぽっと螢のように火が灯るのは、船頭が一服点けているらしい。

勘兵衛が、たっぷりの酒手をはずみ、さらに船頭が目を剝くような帰り舟の額を告げておいた。

きっとああして、夜明けまででも待っているはずだった。

視線を戻した先に、月光の下、田畑が広がる。小梅村だ。目的地は、それより東にあった。

孤影をにじませながら、勘兵衛は速足で歩く。

舟上で、勘兵衛は、いろいろと思考を巡らせた。

およそ三ヶ月も、愛宕下の屋敷を見張っていた一団が、突然に消えた。

その意味を——である。

(松平権蔵の、行方を突き止めたのではないか——)

それにまちがいは、ないように思える。

押上村鎮守の〈大神宮〉裏手にある［火風流道場］が、松平権蔵の隠れ家であった。

では、どうやって敵は、その隠れ家を突き止めたのか。

勘兵衛の思考は、当然、そこに行き着いていた。

(三杉堅太郎だ！)

帰結したのは、それである。

比企藤四郎が三杉を隠れ家に案内したのが、六日前だ。

そして三杉が、それを越後高田藩に通報した。

そうとしか考えられない。

勘兵衛は、最初に三杉を諜者ではないかと疑った。

理由はただひとつ、その三杉が愛宕下の江戸屋敷に着いたとき、見張りの一団の数人が三杉を取り囲んだという。

鷲尾平四郎という、火盗与力から聞いた話だった。

だが勘兵衛の知るかぎり、そのような事例は、これまでに一度としてなかった。

見張りたちは揉め事を避けるように、近寄れば逃げ、ただ遠巻きに屋敷を見張っているだけであった。

それがなぜ、三杉のときだけに……?

鷲尾の話では、三杉はそのとき、〈そのほうら、いずこの家中の者か!〉と叫んだという。

また三杉の話では、三杉を取り囲んだ侍たちはそのとき、〈貴公、いずこよりおいでになったか〉と声をかけてきたというのである。

(芝居だ……)

勘兵衛が下した解釈は、それだった。

どのような伝手《つて》でかはわからぬが、三杉は越後高田藩の手によって諜者に仕立てられ、江戸へ出てきた。

見張りたちにも、その連絡はあったが、あいにくなことに、両者に面識はない。確かめる必要があった。

三杉が江戸に着く日時さえわかっていれば、愛宕下に現われた旅装の武士がそれではないか、と見張りにも見当はつこう。

その確認が、あの大芝居の一幕となったのだ……。

おそらくは見張りたちは、小声で三杉に、

――三杉どのか？

と尋ね、それに対して三杉が、

――そのほうら、いずこの家中の者か！

と大声を張り上げることが、互いの合い言葉として決められていたにちがいない。

表の騒ぎに門番が飛び出し、見張りたちはあっさり散った。そして三杉は、門内に飛びこんでいる。

（怪しまれぬために、知恵を絞ったのであろうが……）

いかにも臭い芝居だ……。

と勘兵衛は思った。

だが、その芝居に勘兵衛は、まんまと引っかかってしまったことになる。

（敵は手強い……）

三杉堅太郎という、松平権蔵も名を知っており、比企藤四郎とは顔見知りという男を、諜者に仕立て上げた手並みは、なかなかのものだと勘兵衛は思った。

（小栗美作……）

はっきりと、その名を意識した。

一万七千石という、大名並の俸禄の越後高田藩の筆頭家老である。

三杉を、越後高田藩へ、高禄での召し抱えを約束できる男でもあった。

脱藩をしてまで三杉が諜者を引き受けたのは、相手がそれだけの力を持っていた、ということに他ならない。

（ならば……）

すでに勘兵衛の腹は決まっていた。

三杉を責めたところで、簡単に白状はすまい。

（逆に、罠にかけてやる）

その方策を、思案中であった。

（だが、それより前に……）

松平権蔵を、いずこかに移さねばならぬ。

それが焦眉の急、である。

隠れ家を突き止められた以上――。

いつ襲撃があっても、おかしくはない。

自分の剣と……。

あと、頼りになるのは、火風流の新保龍興の剣である。

比企や、ほかの連中の腕前までは知らない。

それで権蔵を守りきれる、という自信はなかった。

「火風流道場」からは灯りがこぼれ、人の声も漏れてくる。

急ごしらえの道場だから、立派とはいいがたいが、それらしい構えにはなっていて、裏手には「千束屋」がたまに使っていた寮がある。

権蔵と、その側近たちは寮で寝泊まりし、道場では新保龍興父子と、幾人かが暮らしているはずだった。

(さて、三杉も寮のほうであろうか)

すると少しばかり厄介だな、と思いながら勘兵衛は、生け垣囲いの一画の枝折《しお》り戸を押した。

道場前の広場に人影が二つ見えた。いや、もうひとつ小さな影が、ううーっ、と低い唸りをあげた。

「誰じゃ！」

重なるように声がした。比企の声だった。

「わたしです」

「おう、勘兵衛どのか」

晩飯の残り物を、比企と新保の伜の龍平が、野良犬らしい痩せ犬に与えているところであった。先ほど聞こえた遠吠えの犬であろうか。

「こんばんは」

龍平がぺこりと頭を下げてくるのに、

「おう、元気そうだな」

勘兵衛は微笑みを返したあと、

「少しばかり内緒の話がある。外へ出んか」

知らず声は緊張を帯びていて、比企が小さく顎を引いた。

裏切り者

1

江戸城の西、番町は、浜の真砂《まさご》ほどに旗本屋敷が建ち並ぶところで、まさに武人の町といった感がある。

千鳥ヶ淵にほど近く、大岡忠勝の屋敷はあった。東裏手は蜂屋勘五兵衛《はちやかんごべえ》、南隣りが成瀬小三郎《なるせこさぶろう》の旗本屋敷という、角地である。

両隣りとも小普請組、すなわち無役なのに対し、大岡は慶安元年（一六四八年、すなわち二十六年前）に中奥御番として召し出された。それを皮切りに、大岡は徒士頭、目付、新番頭と駒を進め、四年前からは大目付になった。

家禄は千四百三十五石、その家格からすれば上出来の出世と本人も思い、周囲も、そう見ている。

ところが昨年のこと、同じ大目付の役に渡辺綱貞《わたなべつなさだ》という者が就いた。

実は、これが大岡には気に食わぬ。

というのも渡辺は、あっという間に新番頭になったと思ったら、次には町奉行になっている。

渡辺は三千百石の大身旗本だから、これを家格の差と思えばあきらめもつくのだが、能力、という点から見ると首をかしげざるを得ない。

これには渡辺が、今をときめく大老の酒井忠清に、大枚の賄賂を贈ったという噂がつきまとっている。

あろうことか、その渡辺が、同じ大目付に横滑りしてきたのだ。

渡辺は大岡より十歳ほども歳下である。営営二十数年をかけて、今の地位にたどり着いた大岡に、これがおもしろかろうはずはない。

さらに噂を裏づけるように、渡辺は、もう酒井忠清にべったりで、大岡の胸をしこらせていた。

このころ、老中は井伊直澄《いいなおすみ》に久世広之《くぜひろゆき》、稲葉正則に阿部正能《あべまさよし》、それに板倉重矩《いたくらしげのり》と土屋数直《つちやかずなお》という六人立てであった。

だが、そのほとんどが、権力の権化ともいえる酒井に、ご無理ごもっとも、右へならえ、という体たらくである。

表だって角突き合わせはせぬが、唯一、骨がありそうなのは稲葉正則で、それゆえ心情的に、大岡は稲葉老中寄りであった。

そんな胸の内を察したか、稲葉のほうでも大岡に近づいてきて、溜め息混じりの吐露があった。

将軍の継嗣問題について、である。

今の四代将軍、家綱は、父の家光が将軍家相続の際にすったもんだがあって、今後にその弊を残すまいと、跡目は長子と早くに決めていた。

それで家光が四十八歳で死去したとき、家綱は十一歳で、すんなり将軍になった。

しかし、この家綱、元もとが虚弱体質というより発育不全であった。しばしば病気はするし、裁可を得ようとしても「そう、せい」としか言わぬ。

それで、〈そうせい公〉などと呼ばれている。

だが謹直な老臣たちが、よくこれを支え、政治は滞《とどこお》りなく進み、幕府の制度も整備された。

ところが老中たちが次つぎと死んだり、引退したりして、幕閣が入れ替わったころより退廃の影が強まってきた。

特に三十歳の若さで老中首座となった酒井忠清は、将軍が言われるがままなのに乗じて、ますます権勢を強め、ついには自ら大老の座について、その勢いは飛ぶ鳥を落とすがごとくであった。

屋敷が下馬先門にあったことから、〈下馬将軍〉と呼ばれるくらいである。

さて、将軍家綱は三十半ばを過ぎたが、いまだに子ができぬ。できぬというより、子を作る能力がない。

そこで徳川家の将来を案じる稲葉正則は、家綱の後継者に、甲府宰相である弟君の綱重《つなしげ》を、と何度か進言するのであるが、ことごとく酒井忠清によって握りつぶされてしまう。

現在の座り心地が、あまりに良すぎて、英明の誉れ高い綱重が次期将軍となれば、自分の権益が失われると考えているのであろう、と稲葉正則は言うのだ。

そうであろう、と大岡も思った。

考えてみれば、自分が御役についたときは、先君、家光の時代である。

それから、はや二十六年……。

その間に、腐れ、ただれていく幕政の腐敗ぶりを、いやというほど見てきている。

こうして、いつか、大岡は稲葉正則と肝胆相照らす仲になっていた。

そして……。

今は、同じ志を持つ派閥の陣容は、若年寄の堀田正則ほか、反酒井の同志がいた。

もっとも、深く静かに、その動向を悟られぬよう、万全の注意を払っている。

「殿様」

食後に書見台に向かう大岡に、側用人の向井が手をついて言った。

「菊池兵衛が参りました」

「そうか。かまわぬ、ここへ通せ」

やがて菊池が姿を現わした。増上寺で掃除番をしているときとは違い、袴に裃《かみしも》までつけている。

「さっそくながら、ご報告を申し上げます」

菊池が低頭するのに、

「苦しゅうない。もそっと近う」

「では、失礼をいたします」

膝でにじって、もう一度頭を下げたのち、

「きょう、落合勘兵衛が、やってまいりました」

「ふむ……。落合？　おう、あの越前大野藩の若侍であったの」

「さようで……」

「して、なんと？」

「はい、どうやら落合勘兵衛も、例の愛宕下の動きにつきまして、越後に行き着いたようにございます。それで内情を尋ねにまいりましたゆえ、あらかたの事情と、小栗美作の仕業ではないか、と示唆しておきました」

「そうか。落合については、稲葉さまからも耳にしておるが、どうじゃ。使えそうかの」

「はい。なかなかに聡《さと》き若者ゆえ、あるいは動かぬ証拠をつかんでくるのではないか、と期待しております」

「うむ。そのほうのことだから、心配はしておらぬが、万事、抜かりはあるまいな」

「おそれながら、大岡さまの名を出しておきましたゆえ、無謀な暴走はいたすまい、と存じます。なにかあれば、必ずや、拙者のところへまいるはず……」

「そうか。それは苦労だった」

「では、これにて失礼をいたします」

　菊池は、短い報告で退出した。

先ほども述べたように、老中の稲葉正則、若年寄の堀田正則、大目付の大岡忠勝のラインは、打倒酒井忠清という目的で繋がっている。

だが、今は相手が巨大すぎて、正直なところ、手も足も出ない。

だが、いつか、必ずや好機が到来する。

そう、信じていた。

そのときには——。

敵を追い込み、確実に倒すだけの材料が必要だった。

そこでひそかに、大老の周囲に網を巡らし、失点の材料となるような事実を、その証拠ともどもに集めている日日であった。こつこつとした作業である。

謀略、賄賂、政治の私物化……。

酒井の周辺は、そういった腐敗の華が百花繚乱で、おかしな材料なら、それこそ腐るほど転がっている。

なかでも、先の仙台藩の伊達騒動に関する裁定、あるいは大和郡山藩の九六騒動の裁定などなどには、酒井の贔屓偏頗《ひいきへんぱ》ぶりが如実に表われて、にがにがしいかぎりのものもある。

そして先年来、その酒井の許へ、急接近した大名がいた。

それが、越後高田藩の松平光長である。

いや、光長が大老に接近していった、というふうでもない。

大老のほうから、光長の許へ、という模様が見えなくもない。

松平光長は、御三家に次ぐ徳川家御一門であるから——。

(さては、将軍御継嗣について、なにやら良からぬ策謀を……)

とも疑い、以来、双方の動きについて、鵜の目鷹の目になっているのであった。

果たして——。

これは……、と大岡たちの耳目に触れる事実があった。

松平光長には三人の妹がいて、上から亀姫、鶴姫、それに豊後生まれで小栗美作に嫁《くだ》された、おかんである。

さて亀姫は、後陽成天皇の第七皇子である高松宮好仁《よしひと》親王に嫁し、鶴姫は摂関家の九条家に嫁している。

この姉妹たちは、もういずれも故人であるが、それぞれに子をなして、光長には天皇家や摂関家に甥や姪がいる。このことが重大であった。

幕閣はずっと、大名家が天皇家や公家と結びつくことを警戒し、ときには力をもって、これを排除してきた。

その結びつきを排除する側の最高権力者である大老が、おかしな動きをしている。

こうして松平光長は、大岡たちにとって、目の離せない人物となったのである。

そんななか、光長の嫡子が亡くなり、跡目がいなくなった。

――こりゃ、近く、なにごとか起きるぞ。

最初に、そう言ったのは、若年寄の堀田正則である。

そのことばを裏づけるように、この春ごろより、越後高田藩の動きが賑やかなことになってきた。

江戸留守居の本多監物は足繁く、下馬先門の酒井邸に出入りする。

下屋敷用人の小栗一学も同様に、築地《つきじ》の備前橋を渡りはじめた。

海を埋め立てて造成された築地は、周囲を水に囲まれた、幾つかの島から成り立っている。

そこでは、明暦に焼けた西本願寺の再興をめざして今も普請中であるが、そこから備前橋を渡ったところに、もう一人の大目付、渡辺綱貞の屋敷があるのだった。

くどくはあるが付言しておけば、渡辺の屋敷は、越後高田藩江戸屋敷から十町と離れぬ至近の距離にある。それをなにゆえ、遥かに遠い平川町の下屋敷のほうから、小栗一学が大目付の屋敷に出かけていかねばならぬのか。

それが、大岡には謎だった。

さらにくどさを重ねれば、留守居の堀田監物、下屋敷用人の小栗一学は、ともに小栗美作の義弟と弟にあたり、その小栗美作は亡妻の縁で朝廷に繫がっている。

だからして、一藩の家老でありながら、将軍にも拝謁ができるという権威を与えられていた。

稲葉老中、堀田若年寄から下命されるまでもなく大岡は、今や炯炯《けいけい》と、梟《ふくろう》のように目を光らせている。

数十人を抱える黒鍬者の内より、信の置ける者を十人ばかり選び出し、さらに探索を続けた結果、幾つかの事実を拾い集めることができた。

そのひとつに、この五月の初め、二十人を超える武士団が、ひそかに越後高田藩下屋敷に入った、という情報がある。

ときを同じくして、愛宕下の大野藩江戸屋敷を見張る一団が発生、その両者の間には、越後福井藩の隠し子、松平権蔵の存在があることも判明している。

このことで大岡は、ようやく先の謎を氷解させることができた。

あの愛宕下の一団を指揮するのは、下屋敷のほうの小栗一学であって、万一、一団の動きが問題になった場合、大目付の渡辺に揉み消してもらうべく、鼻薬を嗅がせに通っているらしい。

（つまりは、渡辺も同じ穴の狢《むじな》だということになる……）

酒井大老と本多監物との間で話し合われているであろう謀略にくらべれば、なんとも次元の低いことなのであった。

だが、いずれもが、小栗美作の指示によるだろうことは明明白白、大岡にとっては、唾棄したいような行動なのである。

（といって、まだまだ介入はできぬ……）

大岡らの、ひそかな動きを知られてはならぬのだ。

しかし、松平光長、小栗美作、さらには渡辺綱貞らの好き勝手にさせたくはない。

一泡吹かせて、失点のひとつも拾っておきたい、というのが本音だった。

――越前大野藩に、落合勘兵衛という耳役《みみやく》がおりまして……。

ちょうどそんなとき、菊池兵衛が、ひとつの趣向を持ってきた――。

再び書見台に向かった大岡だが、菊池の帰ったあと、どうしても書物に目がなじまない。

（ふむ……）

天井の一画を見つめて、独りごちた。

「どうなろうかの……」

2

その夜も子《ね》の刻（午前零時）に近いころ、

「相変わらず、無茶なやつだ」

苦笑混じりに、松田与左衛門は言った。

「あれほど苦労して、ここから連れ出したものを……、また連れ戻ってくるとはの」

「いえ、すでに見張りは解かれておりますゆえ、かえって、こちらが盲点だと考えまして……」

勘兵衛は澄まし顔で答えた。

もとよりお叱りは覚悟のうえであったが、松田は、

「そりゃ、そうじゃ。事情のほども、ようわかっておる」

困った顔をするでもなく、いつものように飄飄《ひょうひょう》と言った。

その間、一度だけ驚いた顔になったのは、

――なんじゃと。越後高田藩がか……。ふうむ――。越前福井藩では、なかったと

いうわけか……。いやいや、まさかとは思うておったが、そりゃまた、なんとも没分《ぼつぶん》暁《ぎょう》なことをするものよな。

と嘆じたときであった。

勘兵衛が、押上村に隠していた松平権蔵を、再び大野藩江戸屋敷内に連れ帰ったわけを説明していたら、この時刻になっている。

「しかし、のう……」

大あくびのあと、松田が言う。

「言うに事欠いて、吉原へ連れていくなどとだましおってからに……。権蔵めは、きっとむくれようぞ。わしゃ、知らんからな」

「いえ、決して嘘を申したわけではございません」

「なに、ほんとうに連れていくというのか。ばかな。わしゃ、そんな金など出さんぞ」

松田が目を剝いた。

「いえ、いえ、吉原というところは、わたしも勝手がわかりませぬゆえ、少しばかり危ぶんでおります。しばらく策を練ったうえでのことと申し上げておきますが、ここは、ひとつ、あの三杉堅太郎に罠を仕掛けてみる所存でございますゆえ、なにとぞ、

「お力を……」

「ま、それはよいとして、あの三杉が諜者だったとは、のう」

「いや、まだそうと決まったわけではございませぬ……」

「そうに決まっとる。ほかには考えられん。わかった、わかった、おまえにまかせたことだ。金は出しても、口は出さん。とにかく、思ったとおりにやってみよ」

「ありがとうございます」

すでに読者はお気づきのことと思うが、勘兵衛は押上村にて比企藤四郎と密談ののち、吉原に案内するという口実で、松平権蔵をここへ連れ戻したのであった。

あくまで微行《おしのび》ゆえに少人数で、と申し添え、案内する自分のほかに供は一人きり、と絞ったのは、待たせている舟で、それがぎりぎりの人数だったからだ。

供は、権蔵が故郷に密書を送りつけたとき、最初にこの大野藩邸に駆けつけた、永見吉兼《よしかね》がつとめることになった。

吉兼は、権蔵を預かった永見吉二《よしつぐ》の孫にあたって、権蔵より四つ歳上の二十一歳である。

二人は幼少のころから一緒に育ち、権蔵が越前の八幡村から出奔する際には、道中手形を整えたりして、陰ながら権蔵を支えた男だ。

余談ながら、永見家というのは、越前松平家の老臣の家で、名門であった。

しかし、越後高田藩の永見大蔵らとの繋がりはない。

というのも、越後高田の光長が豊前より腹違いの弟たちを引き取って客分とする際に、名門である、この永見の姓を名乗らせたにすぎないからだ。

いずれにせよ、永見吉兼が現在の権蔵には、側近中の側近であることに変わりはない。

その二人を勘兵衛は、横川に待たせた舟に乗せてから、

――吉原へ参るには、いささか時間も遅うございますし、なにより軍資金も必要でございますからな。とりあえずは我が藩邸にて金を作りますので、いざ出陣は、明日のことになります。

と欺いて、愛宕下へ連れてきた。

――したが、あのあたりは見張られておったのではないのか。

――いいえ、それが、とうに見張りは解かれておりましてな。なに、ご心配には及びません。

と勘兵衛、たいした万八《まんぱち》ぶり（嘘つき）なのであった。

もちろん押上村で留守を守る一統たちも、比企を除いては、誰一人として、ほんとうのことは知らない。

かねがね権蔵が――。

吉原にて遊んでみたい、と口にしていたことは、新参の三杉堅太郎以外は、全員が知っている。

そこに比企が、

――いや、実はの。権蔵さまの願いを叶えてくれぬかと、この三杉どのを迎えに行った際に、落合どのに頼んでおいたのだ。それでこたびの成り行きとなったのじゃ。

と口を添えたから、疑う者は一人もいなかった。

すでに舟も用意して、近くの横川に待たせているという。

とにかく権蔵が、吉原に行くと信じこませることが目的だったのである。

「で、これから、どうするのじゃ」

伸びかけた顎の髭を、器用に爪の先で引き抜きながら松田が言う。

「はい。まず明日にも権蔵さまに、真実のところをご説明いたします。それから二、三日がほどは風待《かざま》ちをしながら、次の一手を準備するつもりでおります」

「おい、おい。ここで流連《いつづけ》をさせる気か」

冗談めかした松田に、勘兵衛は苦笑する。

「権蔵さまには、今しばらく、ご辛抱を願います。その間に、あるいは鼠が動くやも知れず……」

「ふん。動いてくれればよいがの」

「はい。くれぐれも比企どのに頼んでまいりました」

「そうか。さすがに手抜かりはなさそうじゃ。よしよし。では、今夜はここまでとしようかの。この年寄に夜更かしをさせおって。身体に、こたえるわ」

「まことに申し訳ないことで」

言って勘兵衛が辞去しようとすると、

「そうじゃ、日暮れてのち八次郎が、そなたはおらぬか、と訪ねてきたぞ」

「そうですか。いや、飯炊きの長助に、こちらにくる、と告げて出たまま戻らぬので、心配したのでございましょう。先ほど御用人の新高さまに、今夜はこちらにて泊まると伝言を頼みましたゆえ、もう安心しておることでしょう。ついでに八次郎には、明日はこちらにくるようにと申しておきました」

「ふんふん」

松田は、僅かに下唇を突き出すようにうなずいて、

「なにやら八次郎のほうから、伝言を頼まれていてな。きょう、そのほうの町宿に塩川七之丞が訪ねてきたそうだ」

「七之丞が、ですか……」

弘文院で学問を修めようと、江戸に出てきた親友であった。

同時に勘兵衛の初恋の相手で、今も心の奥深く棲みついている園枝の兄でもある。

「七之丞は、そのほうが留守と知って、文を残していったそうじゃ」

(なにごとであろう……)

言《こと》づてではなく、文を残していった、というところが気になった。

それを察したように、

「そのほうの八次郎への使いには、八郎太が向かっての。で、結局のところ、八次郎は、もうこちらへきておるわ」

「えっ、そうなんですか」

「さよう。ま、久方ぶりに父と兄弟、三人で寝るがよかろうと言ってやった。許してやれ」

「はい、それは、もう……」

松田の用人と若党である新高陣八、八郎太は父子であり、勘兵衛の若党の八次郎は、八郎太の弟なのである。

そういえば半刻ばかり前、新高陣八がやってきて、松田となにごとか話し合っていたのが、その報告であったらしい。

「そうそう、塩川の文じゃな。ちゃんと預かっておいたぞ」

言って松田は、懐より結び文を取り出した。

「これは、お世話をおかけしました。では、これにて……」

と再び退出しようとした勘兵衛を、またも松田が止めた。

「かまわん。そこで読むがよい」

「は……？」

「たぶん、内容は、わしも承知のことだと思うぞ」

（はて……？）

訝りながらも勘兵衛は、

「では、失礼をいたしまして」

さっそく、文の結びを解いた。

流れるような筆致で、だが、短い文がしたためられている。

（なんと！）

一読して、勘兵衛は驚いた。

その顔色を読んだように、

「伊波がことか」

「あ、はい」

(伊波が、大野に戻るだと!)

七之丞の文には、そう書かれていた。

(それも、明日だと!)

あまりにも、突然のことではないか。

時間は不明ながら、利三を見送るために駒込追分で朝から待っている。都合がつけば、来られたい、と書かれていた。

駒込追分は、中山道と奥州道の分かれるところで、大野へ戻るならば、必ず伊波はそこを通るであろう。

「実は、そのこともあって、きょう、わしは、芝高輪の下屋敷へ行ったのだ」

若殿の松平直明たちは、下屋敷に住んでいる。

「伊波利三は、自ら小姓組頭の職を解いてくれと願い出て、それで大野へ戻るとの話になっておるが、そんなことが嘘っぱちだとは、わしにも誰にもわかっておる。例の二十六夜待ちの一件も含めて、伊波は、はっきり若殿を見限ったのよ。それで伊波が、まだ江戸におるうちにと、きょう左門に嫌みを言いに行ってきたのだ」

左門とは直明の幼名で、松田は、その傅役《もりやく》であった。

松田は、例の二十六夜待ちの乱痴気騒ぎが、世上で評判となっているにとどまらず、すでに大目付の耳にも達し、江戸留守居として、その対応策に苦慮していること。

さらに、このようなことが続くようなら、大野藩の将来にも響くゆえ、いざというときは直明を廃嫡にして、しかるべき筋より殿に御養子を迎える所存、とさんざ直明を脅しつけてきたようだ。

「で、直明さまには、どのようなご様子でございましたか」

「さすがに、青うなっておったがな。なに、それで素行がおさまればめっけものといったところよ。わしはむしろ、伊波利三にそれを聞かせて、これまでよう頑張ったの、と胸に溜まっていたであろうもやもやを、晴らしてやろうと思って言うたまでのことじゃ。どれほど阿呆でも、まさか、わしを手討ちにはできまいから、それはもう、思う存分に言うてやったわ」

「さようでございましたか。いや、まことにありがとうございます」

思わず目頭がゆるんできて、勘兵衛は深ぶかと、松田に頭を下げた。

（それにくらべて、この俺は……）

菊池から二十六夜待ちのことを聞いたとき、いったい利三は、なにをしておるのだと大いに腹を立てただけだった。

だが、そのころ利三は、若殿を諫めようとして諫めきれぬもどかしさに、苦しんでいたのではなかったか。

（その苦しさをわかってもやれず……）

俺は……、俺は……と勘兵衛は、心の中で詫び、おのれを責めていた。

それに、明日は——。

（見送ってもやれぬ……）

そのことも勘兵衛は詫びながら、

「では、これにて失礼いたします。ゆっくりおやすみ下さいませ」

これ以上とどまれば、松田に涙を見せそうで、勘兵衛は、そそくさと退出した。

眠れぬ夜になりそうだった。

3

翌日になった。

朝から低い雲がかかっていたが、昼前には細い雨が落ちだした。

いよいよ秋霖《しゅうりん》の時期に入ったのかもしれない。

この日も［火風流道場］は、南割り下水の御家人の子弟で賑わっていた。

「飯ができただよう」

やがて賄いのおよしが触れてまわる。

この押上村の一画は、百姓の幸三郎《こうざぶろう》の地所であったが、悪い博打に引っかかり、根こそぎ奪われ裸で放り出されるところを、葭町の割元である［千束屋］政次郎が助けて、百姓抱え地にしたところであった。

およしは、その幸三郎の女房で、あとは幸三郎の老いた母、子供二人の五人家族が、道場から少し離れた畑地の藁葺きの家で畑作をしながら暮らしている。

農家以外の建物は、政次郎の寮と、まだ真新しい道場があるのみだ。

寮では、松平権蔵と側近の永見吉兼が起居し、比企藤四郎たち三人と新保龍興父子の五人は、道場のほうで起居していた。そこへ先日より、三杉堅太郎が加わっている。

食事どきには、いつもなら永見吉兼が、松平権蔵の分と二人分を取りにきて寮のほうへ運んでいくが、きょうはいない。

残る六人は、道場の勝手口の板張りで、車座になって食事をとるのが常であった。

軒打つ雨音を聞きながら、

「さては権蔵さまの、随喜の涙であろうかな」

川井半七《かわいはんしち》が、そんな軽口を叩いた。

川井は、永見が連れてきた若党で、剽軽者《ひょうきんもの》である。その軽口に、

「さても……。いやはや、お供の永見どののぶんも足されておるかもしれん。うらやましきことよ」

と応じたのは西尾宗春《にしおむねはる》といって、福井藩では徒士組小頭であった。

比企も笑いながら、そっと三杉を盗み見た。大口開けて笑っている。

(尻尾を、つかんでやるからな……)

箸を動かしながら、そう思った。

昼食をすませたのち比企は、

「ちと亀戸あたりで、蠟燭《ろうそく》を求めてくる」

と言って、傘一本に風呂敷包みを手に道場を出た。

福井にいたころ小納戸役であった比企は、ここでも雑多な入用の品を整える係だったから、誰も怪しまない。

道場の目と鼻の先に、最教寺という寺がある。甲斐の身延山にある、法華宗の寺の末寺であった。

境内には山水を模した庭園があって、本堂も講堂も藁葺きという、風雅というよりしっかり田舎寺であるが、ここにはひとつだけ寺宝があった。

それは、かの元寇のとき、蒙古鎮静のために日蓮上人が書いた日の丸旗曼荼羅《はたまんだら》の大旗一対であって、これは身延山より勧請した七面堂に納められている。

だが、ここでそれは関係がない。

最教寺の山門をくぐった比企は、境内をするりと抜けて、身をひそめたのが、その七面堂の裏手であった。

この七面堂を土地《ところ》のひとは、七面明神と呼んで崇《あが》めてはいるけれど、虫払いのため七月に旗曼荼羅が公開されているとき以外は、まったくといっていいほど、ひとがこぬところであった。

七面堂は山水の庭の丘の上にあって、その裏手は、なだらかな傾斜地で下る。傾斜地はほとんど手入れがなされていないため、雑木やらなにやらが伸び放題で、藪同然になっている。

比企が迷うことなく、赤紫の花をつけている木槿《むくげ》の木に近づいていったのは、すでに朝方の内に下見をすませていたからであった。

そこから村が見下ろせる。ちょうど、道場の入り口に当たる道が、真正面である。

比企は七面堂裏手の軒下で傘を閉じ、風呂敷包みを解いた。

そこには菅笠に桐油合羽《とうゆかっぱ》（紙製の雨具）、それに折りたたみの床几《しょうぎ》が入れてあった。

その床几に腰掛け、道を見張ろうというのである。

秋雨は、さらに雨足を強めて、じっと村を見下ろす比企の菅笠に弾けて音を立てる。

どれほどの刻《とき》がたったろうか——。

「む！」

比企は立ち上がった。

今しも、一人の武士が道場から出て背姿を見せていく。

だが雨に霞み、傘も差しているから、それが三杉かどうかまでは見極められない。

床几を軒下に放り込み、傘や風呂敷もそのままに、比企は最教寺の山門に走った。

あれが三杉であれば、見失うわけにはいかない。手は打ってあったが、万一のこともある。

比企が寺を出たとき、すでに三杉らしい姿はなかった。畑地を縫うようにして進む道は、曲がりくねって見通しが悪い。

しかし比企は、あわてなかった。

道の先に小さな影が佇んでいる。その影が、比企を認めて走り寄ってきた。

龍平少年である。

「幸三郎さんに、報せるまでもなかったよ」

「おう、そうか、ご苦労だったな。ついでにもうひとつ頼まれてくれ。最教寺の七面堂の裏にな、傘やらなにやら、うっちゃらかしてきた。すまぬが三杉に見つからぬよう、そっと運んでおいてくれぬか」

「承知した」

剣術家の息子らしく、龍平は胸を張った。

「頼んだぞ」

比企は頭をひと撫でして、先に進んだ。

龍平少年には、もし三杉が外へ出るようなら、抱え百姓の幸三郎に、それを報せるように頼んでいた。さらに幸三郎には、三杉の跡をつけて、誰と会うかを確かめるように言ってある。

三杉がここへきて、まだ八日目——。

その間、三杉が長い時間、道場を留守にしたことはなかった。

だが、その間に、なんらかの手段で越後高田藩に連絡《つなぎ》をとったはずだ。

となると、考えられることはひとつ、誰かを金で雇って、文を届けさせるという以外には考えられない。

まずは、それが誰かを突き止めたい。

三杉は、賄いのおよしの顔は知っていても、亭主の幸三郎の顔までは知らない。幸三郎に跡をつけさせても、近在の百姓としか思わないだろう。

弓なりに曲がっていく道を進むと、やがて二つの人影が見えた。周囲はどこまでも畑地が広がり遮るものもない。

比企は、一本の大榎の下に身を寄せた。

そこから見やる。

三杉らしい人影は西に向かっているが、押上橋に至る道のほうへは曲がらず、なおもまっすぐに進んでいく。だが、その先は三叉路となって畑に突き当たるはずだった。

一方、あとを行く幸三郎らしい人影は、北に曲がって、押上橋への道を行く。

（さて……？）

ふと危ぶんで、比企は再び歩を進めはじめた。

（なるほど）

三叉路のところで、先の人影は北に向かった。一方、あとの人影は畑の畦道に入って、同じ道に出ようとしている。

（幸三郎め、小憎らしいことをやる）

さすがに昔、賭場に通って、修羅場を踏んだだけのことはある、と比企は感心した。

今、三杉が北に向かう道には慶養寺、金性寺、春慶寺と三つの寺が並ぶ。それを越えれば北十間川に行く手を阻まれ、西に曲がれば業平橋に至るのだった。

比企は、幸三郎と同じく、三杉が行く道より一本東の道を選んで、畑ごしに背姿を追った。

やがて――。

（ほ……）

三杉は、三つ並んだ寺の、いちばん北にある寺に消えた。春慶寺である。

そのあとを追って、幸三郎も消えた。

北十間川は、業平橋の脇から中川まで続く川である。

比企は、まだ知らないが、火盗改め与力の付き人で「冬瓜の次郎吉」は、その中川の落ち口近くが生まれ故郷だった。

なおも歩を進めた比企は、やがて業平橋の近くまできた。もう小梅村である。

道の辺に小さな庚申塚がある。そこで幸三郎と待ち合わせる手はずであった。

4

そのころ勘兵衛は、四ッ谷塩町の髪結床「冬瓜や」の二階座敷にいた。

肝心の次郎吉は留守だったのだが、お春という女房の髪結いが、えらく勝ち気な女で、勘兵衛が名を告げるなり、

――あっ、聞いておりますとも。なに、だんつくは、すぐ近くでトグロを巻いていますのさ。これ、そこの藤吉《とうきち》、なにぐずぐずしてんだい。早いとこ旦那を呼んできな！

おそらくはお春と変わらぬ年ごろの若い衆に命じると、さっさと勘兵衛を、この二階座敷に案内したのである。

（ふうん……）

通された二階座敷は八畳で、隅の衣紋掛けに、男女の祭り半纏が一対かけられているのを見ながら、勘兵衛は次郎吉を待った。

待ちながら、

(もう利三は、江戸を離れたであろうな)

七之丞とは、無事に会えただろうか、俺の姿がなくて、どう思っただろうか、などと心も沈みがちだ。

今朝の午前中をかけて勘兵衛は、松平権蔵と永見吉兼の二人に、前後の事情を説明した。

——なにぃ、あの三杉が諜者だと申すのか。

驚愕の様子を見せた二人だったが、しばらくすると権蔵は、

——それにしても、よくも吉原などと、たばかりおって……。

怒るというより、落胆の色のほうが濃い。

——ま、そう気を落とされますな。吉原とはいきますまいが、似たようなところにご案内できれば……と考えておりますほどに。

——ん……、しかし、なぜ吉原ではいかんのだ。

——考えても下され。吉原は浅草田圃の中、つまりは町場を遠く離れて作られたと

ころ。待ち伏せを食らいそうな場所は無数にあって、権蔵さまのお命を守る保証ができませぬ。

命を狙われると聞いて、権蔵は黙った。

——来春には我が殿が戻り、将軍に無事に拝謁されたるのちは、権蔵どのも晴れて自由の身、吉原は、それからでも遅くはありますまい。あと半年少しのご辛抱ですぞ。くれぐれも自重なさいますよう。

——うむ。そ、それはそうじゃの。

ようやく権蔵は、腑に落ちた顔になった。

勘兵衛が、吉原と似たようなところ、と言ったのは、もちろん岡場所のことである。だが、その岡場所にしても、勘兵衛には不案内なところで、

——さて、どうしたものか……。

思案しているところだ。

勘兵衛は最初、例によって［千束屋］あたりに相談しようかと思ったのだが、考えてみれば［千束屋］と権蔵の結びつきは、かなり強い。

できれば権蔵との縁が、ほとんどない人物のほうが好ましい。

と考えたら、するすると［冬瓜の次郎吉］の顔が浮かんできた。

権蔵のことはなにも知らぬが、愛宕下の一団については知っていて、闇の世界にも詳しそうな人物である。

勘兵衛が、わざわざ権蔵を岡場所に案内しようというのは、ただの親切心からだけではない。

三杉堅太郎を、罠にかけようというのである。

といって権蔵に危険が及んではならぬから、そのあたりの工夫が必要であった。

「これは、これは落合さま、ようお越し下さいやした」

言いながら、茶瓶と湯呑みを二つ盆に載せ、次郎吉が二階に上がってきた。

どこやらで酒でも飲んでいたか、少し顔が赤い。

次郎吉は膝を揃えて座ると、湯呑みに茶を注ぎ勘兵衛の前に差し出し、自分も湯呑みを手に取った。

「きのうは、すまなかったな。突然、前触れもなく押しかけてきて痛みいる。実は、少しばかり相談があってな……」

「落合さま、突然だろうが、愕然だろうが、なんのご遠慮もいりませんや。夜明け前だって、真夜中だって、好きな折においで下さいやし。それより、こちらからお伺いせねば、と考えておりやしたところで。へい、あの蝙蝠ども、きれいさっぱり姿を消しやしたぜ」

「うん、相談というのは、そのことだ」

「おっと、そうこなくっちゃ」

嬉しそうに言う次郎吉の口ぶりからすると、きょうも次郎吉は、あの蝙蝠どもを追っていたらしい。

「実は、きのうも、あれから平川天神を張っておりましたんですが、ぱたりと蝙蝠が戻ってめぇりやせん。こりゃおかしいな、と愛宕下まで様子を見にいって、びっくりいたしやした。それで、今朝からは平川天神へすっ飛んで、境内の居酒屋なんぞで、ええっと、そうそう、オウメイジュクのことなんぞを聞き込んでおりましたのさ」

「そうであったか。いや、実はな……。その後の調べでわかったことだが、あの蝙蝠たちの正体は、越後高田藩に関連がありそうなのだ」

「へへっ、なある……。天神さんの、お膝元でござんしたか。そんなら、納得がいきやすぜ」

相手が御三家に次ぐ家柄の大名と聞いても、次郎吉は、たじろぎもしない。

「ついでだから尋ねるが、あの蝙蝠たちのなかに、六尺は超えようか、という大男がいるだろう」

「へい。顔まではわかりませんが、左手の甲近くに、でっけぇほくろみたいな黒痣のあるやつでござんしょう」

「そう、そやつだ」

こりゃ、たのもしい男だぞ、と思いながら勘兵衛は、

「実は、その男をはじめ、蝙蝠の一味たちが顔を出すらしい居酒屋があってな」

「ありがてぇ。どこの居酒屋で」

「麴町の〔武蔵屋〕というところらしいんだが……」

「へい、〔武蔵屋〕。ようく、知っておりますとも。そういや、あすこじゃ、獅子ことばが飛び交ってましたっけね」

「なんだ、獅子ことばってのは」

「ああ、越後弁のことでさぁ」

「ははあ、なるほど」

越後獅子に引っかけて、獅子ことばというらしい。

「落合の旦那、ちょっと失礼してよござんすかい」

「うむ、それはかまわんが……」

「じゃ、ちょいと」

言ったと思うと、次郎吉は、トントンと階段を下りていき、ほんの僅かで戻ってきた。

「さっそく若いもんを、［武蔵屋］へ走らせやした。交代交代で二六時中見張らせて……、へい、動向ってやつをね」

気も早いが、はしっこい男だ。

「で、さっそくですが、ご相談とは？」

「うむ。いや……、ちょっとわけありなのだが、子細は話せぬ。それでもよいか」

「どうせ、蝙蝠たちに関わることでござんしょう」

「そのとおりだ」

「じゃ、合点でさぁ。乗りかかった舟だ。わけを聞きてぇ……なんて野暮は言いやせんぜ」

「すまぬな。実は、ほどよい岡場所を探している」

「ははあ、岡場所……。なんだか、おもしろそうでござんすね。で、ほどよい、というのは、どういったことでござんすかい」

「そう。まずは、平川天神から近いあたりが良いな」

「へへん。なある……ほど、だ。ほかには」

「客は五人から六人ばかり、それで一軒を借り切れるところがあれば、良いのだが」

「おや、仕舞いをつけるんでござんすかい」

「すまぬな。実は、わたしは岡場所のことはなにも知らんでな。その、仕舞いをつける、っていうのは、どういうことだ」

「こりゃあいいや。もしかして、吉原のこともご存じねぇんで……」

「まだ、行ったこともない」

「ようよう、ますます、いいねぇ。その落合さまが、岡場所を借り切ろうってんだ。こりゃ、泣かせますぜ」

「わたしは、真剣だ」

「おおっと、すまねえ。いや、仕舞いをつけるってぇのは、女郎を朝晩買い切るってことで、つまりは借り切りのことでござんすよ。朝とか、晩とかの片方なら、片仕舞い、って言いやす」

　言って、次郎吉も真剣な顔つきになった。

「ちょうど、と言っちゃいけねえが、恰好のところがあるにはありやす。へい、田町五丁目に、麦飯屋が十軒ばかり、軒を並べて建っておりやしてね。ああ、麦飯屋と皆は呼んでおりやすが、そりゃもう立派な岡場所で、昔は麦飯屋だったらしくて、そういうんですがね。内には、あっしの顔が利くところもござんす」

「おう、そりゃ、好都合ではないか」

「へい。しかしねえ……」

首をひねってから、次郎吉は言った。

「どの家も、女は五人くらいしか抱えていねぇし、部屋の数も少のうござんすからね。割床《わりどこ》になっちまいそうなんで」

「割床……」

「ああ、すまねえ、じゃなかった、申し訳ねえ。割床ってのは、こう……」

次郎吉は立ち上がると、部屋の片隅でごろりと横になり、

「こんなふうに、女郎と客がおりやして……、で、ここんとこに、こう屏風を立てましてね」

要はひとつの部屋で、屏風で隠しただけで、何組かの男女の閨を作る、というのが割床らしい。廻し部屋ともいうそうだ。

(うーむ……)

勘兵衛は唸った。そして決断をつけた。

「場合によっては、やむを得ぬ。しかし、一人だけは、うん、割床ではまずいのだが」

「わかりやした。なに、一人や二人くらいなら、問題はございやせん」

「それから、借り切るのは、一日だけではない。その……場合によっては三日ほども、その……流連《いつづけ》というのを考えておる」

「そいつあ、豪気だ。へい、それも、なんとかいたしやしょう」

「問題は金だ。さぞ、高くつくだろうな」

「さあて……。元もとが二朱の女郎でござんすからね。吉原にくらべりゃ格安で、といっても、若くていい女が揃《こ》ってやすぜ。それが、昼夜だと金一分だ。それで五人ってぇことだと、一両と一分。それに食事や酒もつけるとなると、ざっと一日に二両から三両、へい、あとは交渉次第でござんすがね」

「ほう」

思っていたより、ずっと安い。

「と、こう、ここで算段していたってはじまらねぇや。その目で確かめたほうが、良くはありませんかい」

「それは願ってもないことだ」

下見は、ぜひにも必要だった。

「じゃ、さっそく行きやしょう」

次郎吉は、もう立ち上がっている。

「おう、お春、これからちょっくら、赤坂田町の麦飯屋に行ってくるからよう」

するとお春に髪を結わせていた近所の隠居らしいのが、

「おや親分さん。昼間っぱらからうらやましいかぎりだが、お春ちゃんの悋気《りんき》にも気をつけな」

と与太を飛ばし、一方、お春のほうは、

「尻子玉《しりこだま》まで抜かれるんじゃないよ」

仕事の手を休めるでもなく、大きな声で送り出す。

勘兵衛には、わからぬ世界がここにはあった。

5

さて、こちらは小梅村の庚申塚である。

比企が待つほどもなく、幸三郎がやってきた。

「どうであった？」

さっそく尋ねる比企に、

「へえ、春慶寺の寺男で源三《げんぞう》ってのがおりますが、そいつに文らしいのと銭を渡していましたぜ」

「そうか。で、三杉は」

「戻っていったようです」

「なるほど、で、その源三っていうのは、どういう男だ」

「どうって……」

幸三郎は鼻で笑った。

「そりゃあ、気の小さい男でございますよ。同じ押上村の百姓の三男坊で、俺より二つ歳上のくせに、ちっちゃいころから、俺に小突かれて、べそをかいていたようなやつで」

「ということは、幼馴染みか」

「へえ、さようで……」

「ふうむ……」

連絡役《つなぎ》がわかれば、その跡をつけて……とも考えていた比企であったが、それより、その源三を締め上げたほうが、てっとり早そうである。

「そりゃ、もう、お腰のものに手をやるだけで震え上がって、ぺらぺらしゃべるようなやつでさぁ。そうそう、ついでに、このことを三杉さんに漏らしたら命はないぞ、と脅しつけておくんなさい。そうすりゃ、恐ろしさのあまり、口は貝になりますぜ」

「そうしよう」

ということになって、二人揃って、春慶寺へ向かった。

そこで比企は、驚愕の事実を知ることになる。

赤坂田町五丁目は赤坂御門の南、溜池の側の町はずれであった。

そこから南には、広大な桐畑が広がっている。やや小止みになった雨の中、間もなく落葉するであろう桐の葉は、わずかに黄ばみながら樹木にしがみついていた。

「平川天神は、どのあたりになろうか」

勘兵衛の問いに、次郎吉は広げたままの蛇の目傘の先を、丑寅《うしとら》（北東）の方角に傾けた。

「ここから、およそ、七、八町（七〇〇〜八〇〇メートル）ってぇところでしょう」

「そうか……」

ほどよい距離だ、と勘兵衛は思った。

勘兵衛の考えている作戦とは、こうである。

吉原で遊んだ（実際は遊んでないが）松平権蔵と永見吉兼は、その余勢を駆って、次は岡場所に行こう、と話が決まった。

ついては押上村に集う一統たちをねぎらい、ともに羽を伸ばして……、というのが発端、芝居でいえば序開きになる。

さて三杉堅太郎は岡場所に流連《いつづけ》るうち、必ずや越後高田藩と連絡を取ろうとするはずで、その手段は、店の者を金で釣って使いに立てるか、そうでなければ自身で行こうとするかもしれない。

そう考えた勘兵衛は、越後高田藩の下屋敷から、できるだけ近い岡場所をと注文を出していた。

つまり、油断をさせたうえで、三杉を捕らえ、洗いざらい白状させる。

それが目的であった。

「へい。こちらのほうから、まいりやしょうかい」

桐畑に近い、田町五丁目の木戸のところから次郎吉は案内をはじめた。

まずは岡場所のある一画を、ぐるりとまわっておきたい、というのが勘兵衛の希望である。

勘兵衛自身は、岡場所遊びにくわわらず外で見張ろうと考えていた。その折、身をひそめる適当な場所も見つけておきたい。

木戸から田町五丁目の通りに入るなり、そこには異様な雰囲気が立ちこめていた。なにを商っているとも知れぬ、間口の狭い家が並ぶ。それぞれ二階屋だが、窓がひとつもない。

「こいつですぜ」

立ち止まって、次郎吉が言った。

一間ほどの正面には、浅葱色の長暖簾がかけられ、白抜きで［金本屋］と書かれている。

門口には、昼間というのに丸提灯が下がり、それには〈巴〉と〈氷川宮〉と書かれていた。

「その提灯が出ている間が、営業中ということで、へい、日暮れごろには火が入《へえ》って、九ツ（午前零時）ごろにしまわれやす」

ずいぶん遅くまで客を入れるようだ。

隣りも、長暖簾の文字が［亀屋］と変わるだけで、まったく同じ、次が［金本新］

［九平《きゅうへい》］と続く。

「この［九平］が、あっしが心やすいところで……、主人の九平とは、昔馴染みでござんしてね」

「ああ、ここか」

言って勘兵衛は、向かい側を確かめた。

わずかながらの町屋と自身番屋はあるが、あとは火除け明地になっていて、ぼうぼうと夏草の名残《なごり》が広がっていた。

「見張りの場所でも、お探しですかい」

まだ、なにひとつとして説明していないのに、勘良く次郎吉が言い当てた。

「うむ」

「それなら、あの自身番屋、向かいの木戸番屋はいかがです。口をききますぜ」

「そうか。それはありがたい」

「それから、少し先に［西口屋］って酒屋がありやすが、そこんところも押さえちまえば、いわゆる挟み撃ちって具合で、万全でさあ」

次郎吉は、どこまでも頼もしい。

「もう、ちいっと、見ときやすかい」

「ああ、一通りは見ておきたい」

「合点承知」

［九平］の隣りは［丸屋］で、その先が次郎吉の言った酒屋だった。

酒屋との間には、細い露地がある。次郎吉は蛇の目傘を少しすぼめて、その路地に入った。

勘兵衛も同じようにする。

路地を突き抜けた目の先には、武家屋敷が並んでいる。規模からいうと、小禄の旗本屋敷らしい
その向かい側に、先ほど見てきた〈麦飯屋〉と表裏をなして、やはり長暖簾の家が続いていた。

北のほうから［遠州屋］［近江屋］［丸江屋］［丸品屋］［住吉屋］と五軒並んで、桐畑の見える元の道に戻った。

〈麦飯屋〉は、都合、十軒あるらしい。

（ふむ……）

たとえば［九平］の両隣りにある［丸屋］あるいは［金本新］の一部屋か二部屋を借り切っておいて、権蔵と側近の永見を、ひそかにそちらに移す、という手もあるな

……と勘兵衛は考えはじめていた。

そうすれば万一の手違いがあって、襲撃を受けたときの備えとなる。

「じゃ、旦那。［九平］のほうに参りやしょうか」

「いや、そうもしておれんのだ。まだ日にちもはっきりしておらぬが、たぶん二、三日のちのことになろう。決まれば改めて知らせるが、そういうことで、交渉を進めておいてもらえまいか」

「そりゃあ、かまわねえが、中の造りがどうなっているか、部屋の造りはどうか。そういったものも、見ておいたほうが良くはありませんか」

「それは、そうなのだが……」

もちろん内部を確かめるつもりだが、今は比企に頼んでおいた、三杉の動きのほうが大事であった。

その結果で、次の動きようが決まる。

だが――。

「へい、行きやしょう」

なんだか次郎吉、張り切っている。

そのうえ、

「ついでに、女の造りのほうも、とっくり調べていきなせえ」

などと言いだす始末だ。

「いや、いや、そこまでは……、おっ！」

弱っていた勘兵衛に、思わぬ助け船がやってきた。八次郎である。

「どうした八次郎」

よほど駆けてきたらしく、八次郎は激しく息をつきながら、

「だ、旦那さまこそ、こんなところで……はあ、はあ……、教えられた塩町の髪結床に行きましたら……はあ……つい先ほど、岡場所に女を買いにいったと……」

それを聞いて次郎吉が、

「お春のやつ、こんな純真無垢な若者を、からかいやがって……」

「あ、こちらさまは？」

「おまえをからかった髪結いの亭主で、次郎吉さんとおっしゃる。こっちは、わたしの若党です」

「あ、拙者、新高八次郎と申します」

ぺこりと頭を下げる八次郎に、

「よろしく頼みますよ。それより、女房が悪いことをしたな」

「いえ」

ようやく、息がおさまったらしい。

「それより八次郎、そんなことで駆けてきたのか」

「あ、一大事でございます。すぐに屋敷へお戻り下さい」

「わかった」

（さては、鼠が動いたか……）

してやったり、と勘兵衛は次郎吉に、

「お聞きのとおりにて、造りの検分は、後日改めてということで」

「承知でさあ。［九平］との交渉は、おまかせ下さいやし」

こうして勘兵衛は、八次郎と一緒に愛宕下へと急ぐ。

対決

1

八次郎は一大事と言ったが、詳しいことはなにひとつ聞かされてはいなかった。

ただ父親の陣八から、

——松田さまが一大事が起きたと言っておられる。おまえ、落合さまの行き先を知らぬか。

と言われて、駆けてきたそうな。

もちろん勘兵衛は、このようなこともあろうかと、四ッ谷塩町の髪結床［冬瓜や］と行き先を、詳しく八次郎に説明しておいたのだ。

で、愛宕下に戻った勘兵衛が、さっそく松田の許へ行くと、

「おう、勘兵衛。わしとしたことが……、いや、面目《めんぼく》のないことじゃ」

情けなさそうな声で言う。

「どうなされました、松田さま」

「うん。あれから、比企藤四郎という者が、おまえを訪ねてきてな」

「ああ、比企どのがですか。そういえば、松田さまには、まだ、お引き合わせしておりませんでしたね」

「名だけは聞いておったので、さっそくに会うた」

「そうでございましたか。すると、鼠が動いたのでございますね」

「おう、動いた。じゃが、その方向が、ちぃと予想外であってな」

「と申されますと……?」

「まず、これを見よ」

油紙に包まれた、文らしいものを渡された。

「拝見します」

油紙の表には〈岩松《いわまつ》さままいる〉と書かれ、裏返すと裏には、〈ひろ〉と女の名のようなものが書かれている。

（はて……）

岩松とは、誰であろうか、と思いながら油紙をはがすと、文が出てきた。

その表には、〈小栗一学殿〉となっている。

越後高田藩の主席家老、小栗美作の弟で、あの蝙蝠団の親方ではないかと、菊池が示唆した男であった。

（やはり、そうか……）

小さな興奮を覚えながら裏返すと、○に三の字、三杉のことであろう。

「三杉は、押上村の源三とかいう寺男を金で雇い、その文を届けさせようとしたらしい」

「なるほど……」

予想どおりであったな、と勘兵衛は思いながら、文を開いた。

急報
件《くだん》の方《かた》、十八日夜分より落合勘兵衛、永見吉兼、都合三名にて吉原へ登楼。
見世は不明ながら両二日ばかりは滞在の気配あり。

「ははん」

まさに動かぬ証拠だな、と勘兵衛は思った。

「源三の話によると、きのうの朝も、同じようなものを三杉から頼まれた、ということじゃ」

「なるほど、権蔵さまが押上村にいることを通報したわけですね」

三杉が権蔵の隠れ家を知ったのは、十二日の午後、それから近所を物色して、寺男の源三に目をつけたらしい。

これで愛宕下の蝙蝠が消えたのも、説明がつく。

「問題は、源三が、その文を届ける先じゃ」

「は……？　この〈岩松〉という男でございましょうか」

文を包んだ油紙の表書きは〈岩松さままいる〉であった。

「だから面目ないと言うておる。届け先は、なんと当屋敷……」

「えっ！」

「岩松という中間《ちゆうげん》だ。実は、こやつ、わしが抱えておる中間でな。口入れ屋に頼んで、去年の九月から……、もうすぐ一年になろうという渡り中間じゃがな」

「では、金で釣られたのでありましょう」

「そうであろうな。さっそくに縛り上げて、今、八郎太らに吟味させておるところだが……」

「これはまた、思わぬところに伏兵がおりましたな。では、中間の岩松を介して、越後高田藩へ密書が届くという寸法でしょうか」

「そうであろうな。おそらくは、万一、三杉が誰かに文を頼むのを見られても、その届け先がここなら、怪しまれずにすむと考えての小細工であろうが、いやはや、ややこしいことを考えるやつばらどもよな」

「まことに……」

いかにも憎憎しげに言う松田に、勘兵衛は相槌を打った。

「で、比企どのは？」

「あまり遅うなっては、三杉に怪しまれようからと、もう戻っていったわ」

「はあ、それならば安心、三杉に怪しまれてはなりませんからな」

押上村に残っている者で、三杉が諜者と知っているのは、比企だけである。

とにかく、今は油断させることが肝心だった。

そこへ用人の新高陣八と八郎太の父子がやってきた。

「おう、どうじゃ」

陣八にうながされて、八郎太が口を開く。

「はい。正直に話せば命までは取らぬ、と申しましたら、すらすら白状をいたしました。なんでも七夕の夜に、岩松が浅草奥山へ遊びに出かけたところ、見知らぬ侍から声をかけられ、一両の金に目が眩《くら》んで、この屋敷内のことをしゃべったそうで。岩松はもちろん、権蔵さまの名も知りませんでしたが、例の、愛宕権現の千日参りの日を境に、御家老役宅から、逗留中の御親戚筋が姿を消したことなども話したようです」

「なんと！」

松田が目を剝いた。

権蔵とその一統は、江戸家老の遠戚という名目で、その役宅に住んでいたのである。

「で、その侍とは、毎月一日と十五日の夕に、増上寺中門前の掛け茶屋にて待ち合わせ、その都度《つど》一両をもらう約束にて、今月の一日には、岩松宛に、もし〈ひろ〉という女から文が届けられれば、それをそのまま、木挽町の越後高田藩江戸屋敷の本多監物に届けるように指示されていたそうでございます」

（おう、これで役者が揃うたではないか……）

勘兵衛は、目を瞠る思いである。

八郎太の報告は、まだ続いていた。

「さらに、この月十五日、と言いますから四日前、やはり掛け茶屋にてかの侍と会い、去る十二日に、三杉を松田さまの駕籠にて三十間堀まで運んで舟に乗せたことを話し、もう一度、文のことを念押しされていたところ、きのうの昼前に文が届き、指示されたとおりに木挽町まで届けた、と申します」

（こりゃ、筒抜けだな……）

勘兵衛があきれていると、

「そうか。きのう出かける前に、岩松の姿が見えなかったが、そういうことであったのか」

松田が、悔しそうな声になる。

「で、岩松めのことは、いかがいたしましょう」

「うむ……。次に待ち合わせるは九月の一日か……、どうだ勘兵衛、それまでに片づきそうかの？」

「は……。いや、ここまでわかれば、そう時間はかかりますまい。ここ、三、四日のうちにも片をつけたい、と思いますが……」

「そうか。では岩松は、それまでどこかに閉じこめておけ」

「承知しました」

「お、陣八、ちょっと待て」

「はい」

立ち上がりかけた松田の用人が、また座り直した。

「槍持ちをさせておる中間は、たしか吉太郎《よしたろう》というたか」

「さようで」

「ありゃ、もう、五、六年になるが信用できそうかの」

「いや七年にございます。いたって真面目な男で」

「そうか、ではな、いま勘兵衛が手にしておる文を、文字も似せて、そっくりそのままに写してな」

「はい」

「油紙の包みのほうも、そっくり写して、きっちり糊付けをしたうえで、吉太郎に越後高田藩の江戸留守居、本多監物どのに、すぐにも届けさせよ」

「承知いたしました」

用人の新高が勘兵衛から文を預かって消えると、松田は「ふぉっ、ふおっ」と笑ったあと、

「これで、あの藪蚊どもは、吉原あたりを、しばらく、うろうろ走りまわりよるぞ。せめてもの意趣返しじゃ」

喜ぶさまは、まるで子供のようである。

2

三日がたった、八月二十二日——。

このところぐずついていた空模様も、きょうはすっきり晴れ、空は高く青かった。

勘兵衛たち五人を乗せた舟は大川を下りきり、築地と石川島の間を抜けた。

さらには甲府宰相の浜屋敷沖を抜けると、西には増上寺の大伽藍が、陽光に金色の光を跳ね返している。その左手には富士の雄姿も見える。

（あのあたりか……）

だが勘兵衛の視線は、潮入地《しおいり》を埋め立てている、赤茶けた土の先に注がれていた。

勘兵衛がはじめて海を見た場所であった。それからも、折あるごとに訪れている。

「おい、まだ、先なのか」

船酔いでもしたか、少し青い顔の三杉堅太郎が言った。

「間もなく〈麻布の新堀〉に入ります。もうすぐですよ」

勘兵衛は答えた。

朝一番に舟を仕立てた勘兵衛は、押上村まで居残り組を迎えに行き、

――権蔵さまが吉原より、さる岡場所に河岸を替えられて、皆とともに羽を伸ばそうとおっしゃっておられる。

と告げたときには歓声しきりで、舟の中でも大はしゃぎをしていた面面だったが、もう半刻ばかりも舟で揺られ、船酔いをする者も出てきた。

比企や川井半七は元気そのものだが、西尾宗春や三杉堅太郎は青い顔になっている。

（ちょっと待てよ……）

勘兵衛は、胸に引っかかるものを感じていた。

きのうまで、きょうの準備のために、あちこち走りまわって、ゆっくり考える暇もなかったが、先ほどから考えはじめたことがある。

敵に買収されて、江戸屋敷内の情報を売っていた岩松のことであった。

岩松によれば、七月七日の時点で松平権蔵と、その一統と思われる者たちが、すでに江戸屋敷から姿を消しているという事実を伝えたそうだ。

だが、それなのに、例の見張りの網は解かれることがなかった。

（なぜだ……）

そのことを考えている。

まだ気づいてはいないと、我らを油断させるため。屋敷への出入りを監視して、松平権蔵の行き先を探るため。あるいは、諜者に仕立てた三杉堅太郎と連絡《つなぎ》を取るため。

さまざまな理由が考えられるが、竹を割ったようには胸に落ちてこない。

もっとも可能性が高いのは、岩松の情報だけでは、それがほんとうに権蔵たちであったかどうかの確信がもてず、三杉の連絡があるまで見張りを続けた、というものであろうか。

(ま、ここまできて、どうでも良いことだが……)

うじうじと、重箱の隅を突くようなことはやめよう、と勘兵衛は思いきった。

(それよりも……)

一昨日、昨日と吉原のほうに様子見に行った松田の部下の話では、吉原の大門前の衣紋坂近辺で、軽衫に網代笠の一団が、終日、うろうろと蠢《うごめ》いていたという。

——権蔵の顔も、永見の顔も知らんだろうに、なんとも無駄なことをする連中じゃの。

言って、松田は大喜びしたそうだ。

舟はやがて金杉川に入った。

川幅が細く舟が入れなかったのを拡張し、今は一之橋あたりまで舟が入れるようになった。それで〈麻布の新堀〉と呼ばれている。

金杉橋、将監橋をくぐったあとは、右手に広大な増上寺を見ながら進む。

赤羽橋も過ぎて、豆穴橋《まめあな》（のちの中之橋）までくると、その先で舟入地は終わる。

船頭は右手の河岸に舟を着けた。

〈ちょろ河岸〉と呼ばれるあたりだ。

品川あたりの漁師が「ちょっと商売をしてくる」と、この河岸で魚の立ち売りをして、ちょっと河岸がなまったといわれている。

「おい、大丈夫か三杉……」

声をかけながら比企は、勘兵衛のほうを見て肩をすくめた。

勘兵衛は西尾の様子を気遣ったが、こちらは三杉ほど辛そうではない。

勘兵衛も江戸にきたころ船酔いに苦しんだことがあったが、今は馴れた。

「む……いや……大丈夫」

ようやく舟が着いて、ほっとしたような表情で三杉は答えた。

こうして五人、ぞろぞろ舟から下りたとき――。

「これは皆さま、お揃いで、よくお越し下さいました。そろそろお着きのころだと、お待ちしておりました。手前、［九平］の番頭で次郎吉と申します」

こざっぱりしたなりで、挨拶してきたのは、あの［冬瓜の次郎吉］である。

「では、さっそくですが、ご案内をさせていただきます。さようですね、ここからですと小半刻（三十分）ほども、歩いていただかねばなりませんが……」

「なに、まだそんなに遠いのか」

三杉がうんざりしたような声を出すのに、

「それほどに、お江戸は広いのだ。ちょうどいい機会ではないか。この際、江戸見物としゃれ込もうぞ」

かぶせるように、比企が言う。

赤坂田町の岡場所へ向かうのに、このような道筋を選んだのには、もちろん訳がある。

ちょっとしたたくらみがあった。

［冬瓜の次郎吉］を［九平］の番頭に化けさせたのは、三杉を見世の内部で見張り、外へ出かけたり、文を託したりといったことに目を光らせるためだが、ほかにも役割がある。

さらには見世で、三杉と比企を割床に組ませて二重に見張る策もとっている。

「はい、はい、では、まいりましょう」

次郎吉が音頭をとって、一行は、まず西に向かった。

麻布十番を過ぎて、しばらく道なりに行ったあたりから、

「へい、この右手の坂は鳥居坂といいまして、昔は、この入り口あたりに、氷川明神の鳥居が立っていたんで、その名がありやす。ついでながら、我が町内の者、全員が、その氷川さまの氏子でございます」

などと説明をはじめる。

うむ、良い調子だ、と勘兵衛はほくそ笑む。

（ふむ……）

しばらく行ったところで、勘兵衛は小さく比企をつついて合図を送った。

「やあ、これは立派な大名屋敷ではないか。いったい、どなたの御屋敷じゃ」

比企が言うと、次郎吉が答える。

「ああ、こちらは長門《ながと》府中《ふちゆう》藩、五万石の毛利《もうり》甲斐守《かいのかみ》さまの御屋敷で」

「おう、長府《ちようふ》の毛利か」

「はい。それより、その奥の阿部《あべ》美作守《みまさかのかみ》さまの御屋敷のほうが、もっともっと広うごぜえますよ。なにしろ六万坪はございましょう。陸奥《むつ》白河の十万石でごぜぇます」

やはり次郎吉、ことばのところどころで、地が出てしまう。

「こちらも、なかなかに立派だな」

勘兵衛も話に乗って、右側を指した。

毛利屋敷の筋向かいである。

「こちらは、少しばかり格が違います。越後高田の二十六万石。松平越後守さまの下屋敷でございますよ」

「ふうん。それにしては、やや小ぶりだな」

言いながら勘兵衛、そっと三杉の様子を見た。三杉の目が光っている。

「さあさ、ここまでくりゃあ、我が家までは、ほんの五、六町。なにしろ貸し切りでござんすからね。うちのべっぴんさんたちも、今か今かと首を長くして待っておりやすよ」

次郎吉が弾むような声で言う。

先の突き当たりで、道を右に曲がるとき、三杉は振り返って、先ほどの大名屋敷を確かめていた。その表情は真剣だ。

(十分に、手応えはあったぞ)

勘兵衛は、それを見て確信した。

さて、このあたり、平川天神の影もない。

平川天神なら、溜池の向こう岸、半蔵御門外にある。その門前やら一帯が、越後高田藩の下屋敷ではなかったか。

では、次郎吉が嘘を教えたかというと、さにあらず。いや、やはり嘘が混じっている。

実は越後高田藩の屋敷に変わりはないが、この麻布屋敷は中屋敷であった。ちなみに、蝙蝠たちが集合していた久国稲荷から、ほど近い。

勘兵衛は、江戸が初めての三杉堅太郎に、そのような区別はつくまい、と考えていた。

で、まずは越後高田藩下屋敷（実際は中屋敷）の場所を教え――。

次に、そこが、岡場所からほど近いところである、ということを覚えさせ――。

すると、三杉は、自分で高田藩下屋敷に通報しようとするかもしれぬ。

だが、そこには、権蔵討伐をもくろむ親玉の小栗一学も、実働部隊であろう蝙蝠団もいない。

万が一、三杉を取り逃がしたとしても、少しは時間を稼げるであろう、というのが勘兵衛の考えであった。

3

虫の声が集《すだ》く中に、その自身番屋はあった。

田町五丁目の自身番屋である。

間口は二間ほど、玉砂利が敷かれた玄関口に、二尺の上がり框があって、そこに座って勘兵衛は、先ほど届けられた夕飯を食っていた。

「中に入って、ゆっくり食ったらどうだい」

勘兵衛の背のほうには、六畳の畳敷きがあって、この番屋の番人らしい年寄が声をかけてきたが、

「はあ、どうも……。しかし、ここにて」

勘兵衛は謝絶した。

「そうかい。火盗改め役というのも、たいへんだねぇ」

たぶん、次郎吉に頼まれ、そう思いこんでいるらしい番人は、框のところまで茶を運んできてくれた。

「こりゃ、どうも、ありがとうございます」

六畳の間には小さな机があって、そこにもう一人男が座って、筆を動かしていた。書き役であろう。

さらに奥は三畳ほどの板の間があって、壁には、ほた、と呼ばれる鉄の輪がつけられている。これは縛り上げた犯罪者などを鎖で繋いでおく設備であった。

自身番屋の向かいは木戸番所で、そこから右に〈麦飯屋〉が続いている。

こうして上がり框に座っていると、そんな町並みが手に取るように見えた。

表通りに並ぶ〈麦飯屋〉は、それぞれに丸提灯に火が入り、ぽつ、ぽつ、ぽつと灯りが並ぶ。だが、その灯りは四つだけだった。

三つが等間隔に並び、少し先に、もうひとつ。火が灯っていないのが［九平］である。

きょうは貸し切りになっていて、最初から提灯が出ていない。

さらに先にある、酒屋の［川口屋］には軒行燈がかかり、土間口から、ぼんやり灯りが漏れていた。

酒屋にとっては、表裏十軒の〈麦飯屋〉が大の得意先で、深更まで店を開けているそうだ。

（新保さんも……）

自分と同じように、夕飯を食っておるのだろう、と勘兵衛は思った。

［火風流道場］の師範、新保龍興には事情を説明し、その酒屋に詰めてもらっている。

これも勘兵衛のほかは、比企と［冬瓜の次郎吉］だけが知っていることだ。

（龍平は、さびしがっておらぬだろうな）

昼過ぎに、新保と、この自身番で待ち合わせたときには龍平を、抱え百姓の幸三郎のところに預けてきた、と言っていた。

あるいは、二日三日戻れぬかもしれん、と言ってきたらしいが、龍平は、もっと長く戻らぬ父を、鰻捕りをしながら一人で待っていたほどのしっかり者である。心配はなかろう。

場所柄、通行人も少ないこのあたりに、ふいと人影が見えたと思ったら、それはたいがい〈麦飯屋〉の長暖簾に消えていく。

（権蔵たちは……）

あの中で、今ごろ、どうしているのだろうと、勘兵衛は考える。

なにしろ窓がないから、灯りも漏れず、内部の状況は、まったくわからない。

つい先日確かめたところでは、鰻の寝床のように奥行のある内部は、いきなり階段があって一階は、台所に続く廊下と主人夫婦の座敷と使用人たちの部屋だけだった。

客用は二階で、そこには八畳の部屋がひとつに、六畳の部屋が三つ、住み込みの女郎たちは、八畳の部屋で二人、あと三人がそれぞれひとつの部屋で寝起きしているらしい。

女郎が五人なのに、客はといえば、権蔵に永見、西尾に比企に川井に三杉と六人いるものだから、隣りの［丸屋］から一人、応援の女郎を借りてきて対応していた。

（と、すると……）

まず八畳の部屋は権蔵が独り占めして、残る三つの部屋を五人で使うことになる。少なくとも四人は、割床ということだ。

そういったことを想像して、勘兵衛は少しおかしくなった。

（さて、いよいよだな……）

権蔵と永見の二人は、今朝の内に、江戸留守居用人の新高父子の手配で、この［九平］に入れている。

もちろん吉原帰りを装うことは、噛んで含めるように念を押した。

――できれば、ふふふ、と含み笑いでもして、なにも言わぬことです。

とまで言っておいた。

勘兵衛は、自分はこれよりお勤めがあるからと辞去したが、残る四人が［九平］に入ったのが、およそ四ツ（午前十時）を過ぎたころである。

あれから、もう四刻（八時間）ほどが過ぎようとしているが、出てきた者はといえば、昼食と晩飯を届けにきた次郎吉だけで、誰一人として出てこない。

――へい。皆さま、頑張っておられるようで、ありゃ、ずいぶんとひでっておられたようですな。

それが先ほどの、次郎吉番頭の報告であった。

さて、夕飯も食い終わったころ、酒屋の、ちょっと先のほうの火除け地際に屋台店が出た。蕎麦屋のようだ。

いよいよ夜鳥《よがらす》たちの時間が、はじまるらしい。

「お……」

向こうから足早にやってきた人影が［九平］の前で立ち止まった。

「…………」

しばらく、もぞもぞやっていたが、今度は道を横切り、まっすぐこちらへやってくる。職人の風体である。

勘兵衛は、素早く上がり框から立つと、玉砂利の外、三つ道具の陰に隠れた。

突棒《つくぼう》、刺股《さすまた》、袖搦《そでがらみ》という三つ道具は、どこの自身番にも備えつけられている。

酒でも入っているらしい職人は、じゃりじゃりと玉砂利を踏んで自身番に顔を突っ込み、

「おうっ、いってぇ［九平］は、どうなってんでぇ。提灯も出ていねぇぜ」

「なら、今晩は休みだろうよ。明日にでも出直すんだな」

番人に言われて、

「ちえっ、なんでぇ休みかい。せっかく小菊《こぎく》に会いにきたのによう」

馴染みに会いにきたのであろうか。

そんなふうに時間はいつしか過ぎて、五ツ（午後八時）の鐘が鳴ってから、小半刻はたったろうというころ——。

また勘兵衛は音もなく立って、三つ道具の陰に身を寄せた。

［九平］の長暖簾が、ふうっと、内側から膨らんだ気配を悟ったからだ。

「…………」

人影が現われた。

ゆっくり、すり足で歩いて、ときおり後ろを振り返る。

近づいてくる。

丸提灯の明かりで、三杉だとわかった。

ころ合いを見計らって、勘兵衛は滑り出た。

「おおっ」

行く手を塞がれ、三杉は声をあげた。

「これは三杉どの、どちらに……」

「おう、これは、落合どのか。びっくりするではないか。いやな、ちと脂粉にまみれたもんで、夜気を吸いにきたのじゃ」

「ほう、では、ついでに、越後高田藩の下屋敷まで行かれますか」

「む……、はて、なんのことを言っておるのじゃ」

勘兵衛は、三杉の肩ごしに、三つの人影を確認していた。

酒屋から出たのは、おそらく新保龍興、「九平」から出た二つの人影は、比企に次郎吉であろう。

「三杉どの、とぼけるのも、それまでじゃ。押上村の寺男に託した小栗一学あての密書も、すでに我らの手にある。わかったか、ひろどの」

からかうように、密書に虚名で使われた女の名で呼んだ。

「む、むう……」

言うなり、三杉は抜き打ちに剣を放とうとしたが、それより早く、勘兵衛は相手の胸元に飛びこみ、どんと右肩で三杉の胸を突き放した。

腰砕けになった三杉がたたらを踏んだところを逃さず、峰を返す余裕さえ見せて勘兵衛は、大刀の背を相手の首筋にたたき込んだ。

声も出さずに、三杉が崩れ落ちる。

「お見事！」

叫んだ次郎吉が自身番屋に飛びこむなり、縄を一巻きつかみだしてきて、

「へい、ふんじばっておくんなせぇ」

比企に手渡すと、

「しばらくお待ちになって」

どことも知らず、走り去ってしまった。

三杉は、完全に失神している。

「やったな」

言いながら、比企と新保が三杉を縛り上げるのを、自身番の番人と書き役それに木戸番の番人が、びっくり顔で見物していた。

この一幕に気づいた者は、ほかに誰もいない。秋の虫さえ気づかずに、鳴き声をやめない。

その鳴き声が、ぴたりと熄《や》んだのは、近づいてくる轍《わだち》の響きのせいだった。

どこにどう準備していたものやら、やがて大八車とともに次郎吉が現われた。引いている者、後ろから押す者の二人は、次郎吉が抱える若い衆だろう。

「おい」

次郎吉が顎をしゃくると、二人の若い衆は、慣れた手つきで三杉に猿ぐつわを噛ませたうえで大八車に乗せ、菰《こも》やら籠やらで、すっかり三杉の姿を隠し、荒縄でぐるぐる巻きにしている。

「へい。どちらまでお届けすれば、よろしいでしょうかね」

「すまぬな。では、愛宕下までお願いしようか」

「へい。それはよろしいんですが……、たった一日の仕舞いつけに、なっちまいましたね」

「ああ、そうだな」

三日ほどの流連を予定していたが、初日の内に三杉が動いて、あっけなく片づいてしまった。

（また、権蔵さまが、むくれるだろうな。［九平］にしても、皮算用のあてがはずれようし……）

「よし。じゃあ、明日も仕舞いをつけてもらうことにしよう。比企さん、それまでゆっくり遊んで下さい」

「いやぁ、そりゃ、ありがたい」

「ところで新保さま、三杉の代わりといってはなんですが、どうでしょう。一緒に遊んでいかれては」

「お、いいのか」

新保の眉が下がった。

「そのかわり、あすの……、いや、明後日の朝ということになるのか、権蔵さまほかをお守りして、無事に道場へ戻ってくださいよ」

「もちろんだ。承知した」

こうして勘兵衛は、大八車について次郎吉たちと江戸屋敷へと急ぐのであった。

4

八月二十八日は、川開きの日から賑わっていた両国茶屋や夜店が終《しま》う日で、昼ごろから、ぽんぽんと、空《から》花火の音が響いていた。

この日、勘兵衛は新保龍興と二人、連れだって平川天神を参拝した。

この日ばかりは、新保も羽織袴で威儀を正している。

これから越後高田藩下屋敷に、下屋敷用人の小栗一学を訪ねようというのである。

突然の訪問ではない。

きのうの内に、越前大野藩江戸留守居、松田与左衛門の名で来訪は告げており、向こうも手ぐすね引いて待ちかまえているであろう。

すでに勘兵衛は、菊池兵衛の労で、大目付の大岡忠勝とも面談して、打ち合わせをすませていた。

「では、まいりましょうか」

「うむ」

新保は晴れやかな声で言った。

正式な使者に、それも同じ越前松平家の遠戚筋の使者に、危害を加えるようなことはないと思うが、こればかりはわからない。

だが、火風流の遣い手である新保と勘兵衛の二人なら、むざむざ後《おく》れをとることはない、と思う。

勘兵衛は、今、めらめらと燃え上がりそうな闘志を胸に、平川天神前の広大な屋敷に入った。

玄関から迎えられ、すんなり、書院らしき部屋に案内された。すでに二人の男が座っていた。

作法どおり腰の物は揃えて、右側に置き、

「お初にお目通りをいたします。拙者は越前大野藩江戸留守居役、松田与左衛門の配下にて、耳役を務めまする落合勘兵衛と申す者、以後、お見知りおき下さいますようお願い申し上げます」

続いて新保が、

「拙者は、松平権蔵の家来にて、火風流剣術指南を務めまする新保龍興と申す者、お見知りおき下され」

言ったが、面前の二人は毛ほども表情をゆるめず、

「さて、越前大野藩におかれては、江戸留守居どのがお越しかと思うておったに、ちと役者が小さいようじゃ」

言ったのは、二人並んだうち年配のほうで、顔の正面に、どんと団子鼻が居座っている。

「ははあ、いや、それにしましても、見事なお庭でございますな」

書院の襖障子は開け放たれて、広大な庭が見えている。

「…………」

勘兵衛にはぐらかされ、もう一方の若いほうが、

「で、いったい、何用じゃ」

尖った声を出した。

「さて、あなたさまが、小栗一学どのでございましょうか」

「そうじゃ」

「すると、もう、おひと方は？」

「そんなことは、どうでも良いではないか」

「そうは参りませぬ。これからお話しすることは、まかりまちがえれば、御家の深い疵《きず》になろうことは必至。貴家のご主君と、我が主君は、叔父、甥の仲でござれば、こうして内内に解決の道を探りに参ったのでございますぞ。それが、どこのどなたさまとも知れぬお方がおられては、なにも、お話しできぬではございませんか」

勘兵衛は言いはなった。

すると団子鼻は、

「その心配には及ばぬ。わしは江戸留守居役の本多監物じゃ」

「ああ、これは失礼をいたしました。小栗美作さまの妹婿どのでございましたか」

言うと本多監物は、不快そうな表情に変わった。

「それならそうと、はじめからおっしゃって下されば、手前どもも安心できましたものを……」

最初から喧嘩のつもりできているから、勘兵衛の舌鋒は鋭い。

このあたり、無茶の勘兵衛の、無茶たるゆえんであろうか。

一学が、ますますことばを尖らせた。

「ごたごた、ご託を並べる暇があれば、早く用を申せ」

「いや、その用でござれば、そちらさまが先刻ご承知のはず。さればこそ、小栗一学さまに御用と使いを差し上げましたのに、こうして江戸御留守居さままでお待ちでございましたのでしょう」

「えい、わけのわからぬことを」

「はて、わかりませぬか」

「わかろうはずがなかろう」

「そうですか。たとえば……」

勘兵衛は、首をかしげてみせ、

「かれこれ、七日か八日ほど前になりましょうか。吉原は大門前の衣紋坂あたりにて、軽衫に網代笠という揃いの姿の一団が走りまわっておったそうにございますが」

「なんのことだ」

「そうですか。では、過日、越前福井藩より脱藩をして江戸に出てきたる、三杉堅太郎という名にも心当たりはございませぬか」

「ん……。はじめて聞く名じゃ。そんな者は知らんぞ」

「しかし、その三杉という者、二度ばかり、小栗一学さまに文を届けておるはずですが……」

「覚えはない」

「そうですかなあ」

勘兵衛は再び首をかしげると、懐から、油紙に包まれた書状を取り出した。

「これは写しにて、本物は、別にあります。ええと、油紙の表には〈岩松さままいる〉、これは、我が主人に仕える中間宛でございまして、差出人は、このとおり〈ひろ〉とおなごの名になっておりますが……」

「………」

小栗一学は、ものすごい形相になっていた。

「あ、言い忘れておりましたが、同じ写しを我が主の別の中間が、本多監物さまにと届けたそうにございます」

「…………」

団子鼻もまた、無言であった。

「中の文も読み上げましょうか」

「要らぬ」

団子鼻が口を開いた。

「いったい、なにが言いたいのじゃ」

「すでに、お察しのこととは思いますが、三杉堅太郎は我が手に落ちて、すべてを白状しております。越前福井藩は申すまでもなく、我が主君の本貫の地。貴藩にとりましても、同じ血族。その越前福井藩の藩士をたぶらかし、脱藩までさせたとなると、これは越前福井藩とて黙ってはおれぬはず……」

「言わせておけば……、そんな証拠がどこにある。たかが、軽輩の証言ごときで、びくともするような越後高田藩ではないわ」

団子鼻が決めつけた。

「ふうむ……」

勘兵衛は、溜め息をついた。

あれから三杉堅太郎を調べ、すべて正直に話せば放逐してやってもよいが、もし隠し事をするようなら、このまま越前福井藩に引き渡すぞ、と脅したところ、思わぬものが手に入っている。

脱藩者は打ち首、というのが相場だから、三杉も、それを出す以外に助かる手はない、と思ったのだろう。

いわば、勘兵衛にとっては、伝家の宝刀であった。

その宝刀を、やはり抜かねばならぬかと決心し、思わず出た溜め息であった。

「この話を出しますからには、互いに覚悟を決めねばなりますまい。いざとなれば、我が主の松田与左衛門は、それを大目付の大岡忠勝さまのところに持ち込まねばならぬ。だが、そうなれば、越後高田藩、越前福井藩、そして我が藩も、いや越前松平家を巻き込んでの大騒動ともなりかねず……」

「待て！」

そのとき、団子鼻が叫んだ。

「その……なにを持ち込もうというのだ」

「されば……」

勘兵衛は、わざと小声で言った。

「小栗美作さまが、花押まで押されて三杉につかわした判物《はんもつ》でございます」

松平権蔵の居場所を突き止めたときは、越後高田藩にて高禄で召し抱える、という約定を記した文書であった。

「むうう」

団子鼻は、瞑目した。

「我らが望みは、ただ、松平権蔵ぎみを、そっと静かにしておいてほしい、というただ一点にて……、さすれば、我が主君の武門の意地も立ち、越前松平家は、いつまでも平らかでありましょう」

さらに、ことばを足した。

「また判物らしきものは、日の目も見ずに筐底《きょうてい》に深く埋もれておりましょう」

暫時の沈黙ののち――。

越後高田藩の江戸留守居役、本多監物は、重重しく口を開いた。

「お申し越しの件、たしかに承った、と松田与左衛門どのにお伝え下され」

終わった。

と勘兵衛は思った。

だが、ちくりと胸に小さな痛みが残った。

いつ、どのような使われ方をするのか、あるいは使われぬのか、小栗美作の判物は、すでに大岡忠勝の手に渡っていたからである。

5

さて、年も越えた五月二十一日のこと——。

松平権蔵は、越前大野藩主の松平直良より、直堅《なおかた》の名乗りを与えられて、将軍の家綱に謁見した。

そして従五位下備中守に任じられ、藩を立てることまでは許されなかったが、一万石の知行を与えられ、大名に列することになる。

一方、越後高田藩の松平光長は、万徳丸を養子として届け幕府の許可を得る。

万徳丸は三月に参府、松平直堅（権蔵）に遅れること半年の十一月二十三日に、江戸城に登城し、黒書院にて元服のあと、家綱に謁見、家綱から一字を賜わって綱国《つなくに》を名乗り、従四位上侍従、三河守に叙任した。

だが、このとき光長も綱国も、数年後に迫る崩壊への大嵐のことを、予測すらしていない。

もちろん、勘兵衛とて同じだが、それはまた、いずれこの物語にて語られるであろう。

［余滴《おまけ》……本著に登場する主要地の現在地］

［越後高田藩上屋敷］　銀座七丁目十五番地付近
［久国稲荷］　六本木二丁目久国神社
［平川天満宮］　平河町一丁目平河天満宮
［ちょろ河岸］　東麻布一丁目赤羽橋駅付近
麦飯屋　［九平］　赤坂二丁目七番地付近

時代小説

二見時代小説文庫

冥暗《めいあん》の辻《つじ》　無茶《むちゃ》の勘兵衛《かんべえ》日月録《じつげつろく》4

著者　浅黄《あさぎ》　斑《まだら》

発行所　株式会社　二見書房
東京都千代田区神田神保町一－五－一〇
電話　〇三－三二一九－二三一一［営業］
　　　〇三－三二一九－二三一五［編集］
振替　〇〇一七〇－四－二六三九

印刷　株式会社　堀内印刷所
製本　ナショナル製本協同組合

落丁・乱丁本はお取り替えいたします。
定価は、カバーに表示してあります。

 ISBN978－4－576－07176－3
http://www.futami.co.jp/

山峡の城 無茶の勘兵衛日月録

浅黄 斑［著］

藩財政を巡る暗闘に翻弄されながらも毅然と生きる父と息子の姿を描く著者渾身の感動的な力作！ 本格ミステリ作家が長編時代小説を書き下ろし

火蛾の舞 無茶の勘兵衛日月録2

浅黄 斑［著］

越前大野藩で文武両道に頭角を現わし、主君御供番として江戸へ旅立つ勘兵衛だが、江戸での秘命は暗殺だった……。人気シリーズの書き下ろし第2弾！

残月の剣 無茶の勘兵衛日月録3

浅黄 斑［著］

浅草の辻で行き倒れの老剣客を助けた「無茶勘」こと落合勘兵衛は、凄絶な藩主後継争いの死闘に巻き込まれていく……。好評の渾身書き下ろし第3弾！

仕官の酒 とっくり官兵衛酔夢剣

井川香四郎［著］

酒には弱いが悪には滅法強い！ 藩が取り潰され浪人となった官兵衛は、仕官の口を探そうと亡妻の忘れ形見・信之助と江戸に来たが…。新シリーズ

ちぎれ雲 とっくり官兵衛酔夢剣2

井川香四郎［著］

江戸にて亡妻の忘れ形見の信之助と、仕官の口を探し歩く徳山官兵衛。そんな折、吉良上野介の家臣と名乗る武士が、官兵衛に声をかけてきたが……。

密 謀 十兵衛非情剣

江宮隆之［著］

近江の鉄砲鍛冶の村全滅に潜む幕府転覆の陰謀。柳生三厳の秘孫・十兵衛は、死地を脱すべく秘剣をふるう。気鋭が満を持して世に問う、冒険時代小説の白眉。

水妖伝 御庭番宰領
大久保智弘［著］

信州弓月藩の元剣術指南役で無外流の達人鵜飼兵馬を狙う妖剣！ 連続する斬殺体と陰謀の真相は？ 時代小説大賞の本格派作家、渾身の書き下ろし

孤剣、闇を翔ける 御庭番宰領
大久保智弘［著］

時代小説大賞作家による好評「御庭番宰領」シリーズ、その波瀾万丈の先駆作品。無外流の達人鵜飼兵馬は公儀御庭番の宰領として信州への遠国御用に旅立つ。

吉原宵心中 御庭番宰領3
大久保智弘［著］

無外流の達人鵜飼兵馬は吉原田圃で十六歳の振袖新造・薄紅を助けた。異様な事件の発端となるとも知らずに……ますます快調の御庭番宰領シリーズ第3弾

初秋の剣 大江戸定年組
風野真知雄［著］

現役を退いても、人は生きていかねばならない。人生の残り火を燃やす元・同心、旗本、町人の旧友三人組が厄介事解決に乗り出す。市井小説の新境地！

菩薩の船 大江戸定年組2
風野真知雄［著］

体はまだつづく。やり残したことはまだまだある。引退してなお意気軒昂な三人の男を次々と怪事件が待ち受ける。時代小説の実力派が放つ第2弾！

起死の矢 大江戸定年組3
風野真知雄［著］

若いつもりの三人組のひとりが、突然の病で体の自由を失った。意気消沈した友の起死回生と江戸の怪事件解決をめざして、仲間たちの奮闘が始まった。

二見時代小説文庫

夏椿咲く　つなぎの時蔵覚書

松乃　藍［著］

父は娘をいたわり、娘は父を思いやる。秋津藩の藩金不正疑惑の裏に隠された意外な真相！鬼才半村良に師事した女流が時代小説を書き下ろし

桜吹雪く剣　つなぎの時蔵覚書2

松乃　藍［著］

藩内の内紛に巻き込まれ、故郷を捨て名を改め、江戸にて貸本屋を商う時蔵。春…桜咲き誇る中、届けられた一通の文が、二十一年前の悪夢をよみがえらせる…

日本橋物語　蜻蛉屋お瑛

森　真沙子［著］

この世には愛情だけではどうにもならぬ事がある。土一升金一升の日本橋で店を張る美人女将が遭遇する六つの謎と事件の行方……心にしみる本格時代小説

迷い蛍　日本橋物語2

森　真沙子［著］

御政道批判の罪で捕縛された幼馴染みを救うべく蜻蛉屋の美人女将お瑛の奔走が始まった。美しい江戸の四季を背景に人の情と絆を細やかな筆致で描く傑作！